Cardis

I dair Cardi o dair cenhedlaeth:
Elaine, Luned a Delun

Cardis

DYLAN IORWERTH

Portreadau: o Badarn Sant i Dave Datblygu

Argraffiad cyntaf: 2022

Dymuna'r cyhoeddwyr gydnabod cymorth ariannol Cyngor Llyfrau Cymru

Cynllun y clawr: Sion Ilar

Rhif Llyfr Rhyngwladol: 978 1 80099 228 3

Cyhoeddwyd, rhwymwyd ac argraffwyd yng Nghymru gan
Y Lolfa Cyf., Talybont, Ceredigion SY24 5HE
gwefan www.ylolfa.com
e-bost ylolfa@ylolfa.com
ffôn 01970 832 304
ffacs 832 782

Cynnwys

Chwilio am y Cardis

Nid Deg Uchaf y Cardis ydi'r llyfr yma, na'r 19 Uchaf chwaith o ran hynny. Yn fuan iawn ar ôl dechrau ystyried y gwaith, fe ddaeth yn glir nad oedd hi'n bosib i'r un meidrolyn greu tabl fel hwnnw. Arloeswyr o wahanol fathau sydd yma – pobl a dorrodd dir newydd a gwneud hynny yng Ngheredigion neu trwy gario Ceredigion gyda nhw ble bynnag yr oedden nhw'n mynd.

Doedd hi ddim yn hawdd diffinio beth yn union ydi Cardi. Ai dim ond pobl sydd wedi eu geni yng Ngheredigion? Beth am rai sydd wedi cyflawni eu campau yn rhywle arall? Beth am bobl a symudodd yma a gwneud cyfraniad mawr? Pa mor hir sydd raid i chi fyw yng nghysgod Pumlumon neu ar lannau afon Teifi i gael eich rhifo yn y gorlan? Yr ateb, mae'n debyg, ydi mai Cardis ydi pobl yr ydech chi'n eu cysylltu'n reddfol â'r sir.

Dim ond ar ôl dechrau sgrifennu y gwnes i ddechrau gweld y llinynnau arian sy'n rhedeg drwy'r gyfrol, y cysylltiadau a'r pethau cyffredin. A'r peth cyntaf y sylwais i arno oedd fod llawer o'r unigolion yn y gyfrol wedi dod i'r amlwg ar adeg pan oedd yna drobwynt yn hanes y sir ei hun ac, yn aml, yn hanes Cymru.

Padarn Sant ydi'r enghraifft gynharaf o hynny, yn teithio i Geredigion yn fuan wedi i'r Ymerodraeth Rufeinig ddadfeilio, pan oedd peryg i'r dylanwad Cristnogol gael ei golli. Roedd David R Edwards (Dave Datblygu) yn sgrifennu ei eiriau hynod yntau pan oedd llawer o seiliau economaidd a chymdeithasol traddodiadol Cymru yn gwegian. (Un o bleserau'r gwaith ydi cynnwys Padarn a Dave yn yr un paragraff.)

Fe fyddwn i'n mentro awgrymu mai chwalfa'r eginwladwriaeth Gymreig a threfn y Tywysogion oedd un o'r rhesymau pam y torrodd Dafydd ap Gwilym fowld llenyddiaeth ei gyfnod, gyda math newydd hollol o ganu. Chwalfa'r Rhyfel Mawr a'r newid agweddau sylfaenol a ddaeth yn ei sgil oedd un o'r rhesymau pam yr oedd Prosser Rhys yn chwalu sawl tabŵ yn ei gerddi ac, efallai, Idwal Jones yn creu math newydd o ddihangfa.

Ond, o ran diwylliant Ceredigion a Chymru, does dim i'w gymharu â daeargryn y Diwygiad Mawr a ddechreuodd yn Llangeitho tua 1762 (gydag ôl-gryniadau yn 1847 adeg adroddiad addysg dilornus Brad y Llyfrau Gleision). I ryw raddau neu'i gilydd, mae bron popeth a ddaeth wedyn yng nghysgod y Diwygiad, neu'n trio dianc o'i gysgod.

Tra oedd awdur fel Moelona (a gwleidydd fel Henry Richard) yn ceisio creu darlun pur i ddilysu'r diwylliant Cymraeg, roedd ei chyd-ddisgybl yn Ysgol Rhydlewis, Caradoc Evans, yn dewis ystumio'r darlun i greu drychiolaethau. Cynnyrch cymdeithas Moelona oedd y bardd gwlad mwyaf erioed, Dic Jones; gwrthod elfennau ohoni yr oedd Dave Datblygu.

Newid ydi'r elfen arall sy'n cynnig dimensiwn gwahanol. Am mai peth byw ydi hanes, mae arwyddocâd pobl yn newid. Oherwydd twf y mudiad hawliau LGBT+ mae cyfeiriad gwibiog Prosser Rhys at gariad rhwng dau ddyn wedi magu ystyr newydd yn y cyd-destun Cymraeg. Yn yr un modd, o wybod am yr ymdaith menywod o Gymru i Gomin Greenham yn yr 1980au, mae pwysigrwydd ychwanegol i waith Annie Davies (Annie Hughes-Griffiths) a threfnwyr Deiseb Heddwch Menywod Cymru yn 1923 a thaith pedair ohonyn nhw i'r Unol Daleithiau y flwyddyn wedyn.

Prin iawn ydi'r wybodaeth am unigolion o fenywod hyd at ddiwedd y bedwaredd ganrif ar bymtheg; petai cyfrol fel hon yn cael ei sgrifennu am ein cyfnod ni, dw i'n credu y byddai mwyafrif yr ysgrifau am fenywod, o wleidyddiaeth a llenyddiaeth i gerddoriaeth a chelf. Yr hanes sydd rhwng llinellau'r holl ysgrifau yma ydi hanes menywod a dynion cyffredin sydd wedi eu hanghofio ond sydd i gyd yn bwythau yn y sampler mawr.

Myth a chwedl ydi un elfen gyson arall trwy'r gyfrol, o'r wybodaeth niwlog iawn sydd ar gael am Badarn Sant i'r rhith o ddyn go iawn sydd i'w weld ym marddoniaeth Dafydd ap Gwilym, o'r straeon a grëwyd am Thomas Jones, Tregaron (Twm Siôn Cati) i'r straeon a greodd Caradoc Evans am ei blentyndod ei hun. Mae yna chwarae rhwng chwedl a gwirionedd yn amryw o'r bywydau fan hyn.

Mae yna fylchau amlwg hefyd, gan gynnwys maes diwydiant a busnes. I raddau helaeth, fe fu buddsoddwyr o'r tu fas yn amlwg yn y dyddiau cynnar wedi dechrau'r Chwyldro Diwydiannol; yn ddiweddarach, fe gynhyrchodd Ceredigion sawl cenhedlaeth o fentrwyr llwyddiannus ond mai yn Llundain yn bennaf y gwnaethon nhw eu gwaith (a'u harian).

Dim ond un sydd yma o blith yr hen ddosbarth o dirfeddianwyr cyfoethog; mae'r Cardi mabwysiedig, Anne Evans, yn cynrychioli'r gweddill ar gyfnod o newid mawr o ran golwg Ceredigion. Yn gyffredinol, mae boneddigion a diwydianwyr wedi cael effaith ar dir ac adeiladau; ar ddiwylliant yr oedd pobl lai cefnog yn dylanwadu. Rhai fel Ieuan Fardd sydd, oherwydd mai ef oedd un o'r cyntaf yn y cyfnod modern, yn cynrychioli'r llu mawr o ysgolheigion a ddaeth wedyn ac yn bont yn ôl i dreftadaeth Llanbadarn ac Ystrad Fflur.

Ar ddwy ochr y ddadl, mae alcohol hefyd yn llinyn clir o ddechrau'r cyfnod modern ymlaen. Ciwrad a deithiodd lawer ac a yfodd fwy oedd Ieuan Fardd yn ôl un disgrifiad; roedd Caradoc Evans yn 'yfwr proffesiynol', meddai M Wynn Thomas, ond ymladd y ddiod gadarn oedd rhan o genhadaeth Cranogwen, er enghraifft.

Yr hyn sy'n uno pob un o'r 19 ydi fod ganddyn nhw berthynas fyw â Cheredigion, naill ai trwy dynnu ysbrydoliaeth ohoni neu trwy gyflawni eu gwaith oddi mewn iddi. Yn achos Henry Richard, er ei fod wedi byw yn Llundain am y rhan fwyaf o'i oes, roedd hi'n berthynas ddwy ffordd; hi oedd ei faen prawf gwleidyddol, ef oedd ei heilun hi.

Yn rhyfedd iawn, un o'r rhai a deithiodd leiaf ydi'r olaf yn y gyfrol. Un tro, fe ddywedodd David R Edwards fod teithio'n cyfyngu'r meddwl. Gan Gardi, mae'n swnio'n addas.

Dylan Iorwerth
Gorffennaf 2022

Nawddsant y Cardis

Padarn Sant, y chweched ganrif

DOES DIM OND rhaid sefyll yng nghorff yr eglwys i werthfawrogi pwysigrwydd y lle, gyda phatrwm sgwarog pren y nenfwd yn uchel, uchel uwch eich pen. Does dim synnwyr fod adeilad mor fawr ac urddasol mewn pentref mor fach.

Mewn capel i'r ochr, mae hanes dau o'r meini a gafwyd yma gydag ysgrifen arnyn nhw. Er mai'r Normaniaid a gododd yr union adeilad yma, ar ôl dinistrio hen eglwys y Cymry oedd yma cynt, mae yna sefydliad crefyddol ar dir Llanbadarn Fawr ers tua 1,500 o flynyddoedd.

Nid un o Geredigion oedd Padarn Sant ond yno y sefydlodd un o brif ganolfannau'r eglwys Geltaidd. Er gwaethaf cysylltiadau honedig y sir â Dewi Sant ei hun, Padarn oedd y dylanwad mwyaf arni; mae hyd yn oed llyfr hanes swyddogol y sir yn cydnabod nad oes yna ddim prawf mai yn Hen Fynyw y ganed Dewi. Yn Sir Benfro y mae ei waddol ef; sir Padarn ydi Sir Aberteifi.

Wyddon ni fawr ddim am y dyn y tu ôl i'r enw, er bod bywgraffiad wedi ei sgrifennu iddo, o bosib yn Llanbadarn. Aeth fersiwn Cymraeg ar goll, ond mae fersiwn Lladin yn sefyll, y *Vita Sancti Paternus*, Buchedd Padarn Sant. Casgliad o chwedlau ydi hwnnw heb fawr ddim gwirionedd hanesyddol ynddyn nhw, ar wahân i'r ffaith fod Padarn wedi sefydlu ei ganolfan ar lan afon Rheidol, gerllaw Aberystwyth ein dyddiau ni. Am ganrifoedd, fe fyddai'r ganolfan honno'n parhau'n un o fannau pwysicaf y wlad... Llanbadarn Fawr... lle'r oedd *scriptorium* pwysig; man lle'r oedd cyfrolau'n cael eu sgrifennu a'u cyfieithu a'u trawsgrifio'n gain; trysorfa cenedl.

Y gyfrol enwocaf i gael ei chyfansoddi yn Llanbadarn oedd Buchedd Dewi, cynnyrch Rhygyfarch, un o deulu o ysgolheigion pwysig tua diwedd yr unfed ganrif ar ddeg, pan oedd grym y Normaniaid yn lledu yng Nghymru ac annibyniaeth yr eglwys Gymreig a dylanwad Tyddewi mewn peryg. Roedd cyfrolau felly yn rhan o'r frwydr am enaid Cristnogaeth yng Nghymru ac yn y gyfrol honno y mae'r cyfeiriad cyntaf at Badarn Sant hefyd.

Yn ôl hanesydd Llanbadarn, y daearyddwr hanesyddol mawr E G Bowen, mae'n bosib fod traddodiad o ysgolheictod wedi ei sefydlu gan Badarn ei hun; wedi chwalu'r hen drefn yn Llanbadarn adeg y Normaniaid, fe barhaodd y traddodiad hwnnw yn abaty Ystrad Fflur, yn ucheldiroedd Ceredigion. Yno, fwy na thebyg, y cafodd prif waith hanesyddol cynnar Cymru, *Brut y Tywysogion*, ei gyfansoddi gan dynnu, efallai, ar wybodaeth a ddeilliodd yn wreiddiol o Lanbadarn Fawr.

Roedd y chwedlau yn y gyfrol Ladin am Badarn wedi eu sgrifennu bron hanner mileniwm ar ôl ei gyfnod ef. Mae elfennau ynddi sy'n gyffredin i 'gofiannau' saint eraill ac ambell fanylyn yn dangos dylanwad cyfnod ei chyfansoddi, yn hytrach na chyfnod y 'digwyddiadau' eu hunain. Y nod oedd sefydlu pwysigrwydd y sant, gan gynnwys gwyrthiau a digwyddiadau rhyfeddol.

Felly, yn ôl cofiant Padarn, roedd yn un o bedwar sant pwysig a ddaeth o Lydaw yn rhan o fintai fwy (roedd yna 847 o fynachod yn ei ddilyn, meddai'r stori). Fe gyflawnodd wyrth yn Llanbadarn, cyn croesi i Iwerddon, lle'r oedd ei wyneb sanctaidd ynddo'i hun yn ddigon i dawelu rhyfel. Roedd hefyd wedi mynd ar bererindod, gyda dau sant pwysig arall, Dewi a Theilo, i Gaersalem lle cawson nhw eu hordeinio – stori, mae'n debyg, wedi'i chreu i danlinellu eu pwysigrwydd.

Yn ôl yng Nghymru, meddai'r *Vita*, roedd wedi sefydlu eglwysi a mynachlogydd ledled yr ardal sy'n Geredigion heddiw a hefyd wedi bod mewn gwrthdaro gyda dau o'r brenhinoedd mwyaf yn hanes Cymru, Maelgwn ac Arthur. Yn ôl E G Bowen, roedd rhaid i bob buchedd gynnwys stori am drechu arweinwyr gwleidyddol, daearol – rhan o'r frwydr oesol rhwng grymoedd y byd a'r betws. Ac yn y bucheddau, y betws oedd yn ennill.

Mae'r stori am drechu Maelgwn yn nodweddiadol ac yn brawf mai ganrifoedd yn ddiweddarach y cafodd ei chofnodi... roedd y brenin wedi esgus rhoi trysor yng ngofal Padarn a'i siarsio i'w warchod. Ond twyll oedd hynny; mewn gwirionedd, doedd yno ddim ond graean a mwsog ac, felly, pan ddaeth gweision y brenin yn ôl i hawlio'r cyfoeth, fe gyhuddwyd y sant o ddwyn. Roedd rhaid cael prawf i weld pwy oedd yn dweud y gwir ac mae'r prawf yn y stori yn perthyn i'r Canol Oesoedd yn hytrach na chyfnod Padarn. Roedd rhaid i Badarn a'r gweision roi eu dwylo yn eu tro mewn dŵr berw. Fe losgwyd y gweision ond roedd llaw Padarn yn berffaith wyn a'r eglwys yn drech na'r brenin.

Y canlyniad yn y chwedl oedd fod Maelgwn wedi rhoi tiroedd i Badarn rhwng afonydd Rheidol a Chlarach yng ngogledd Ceredigion; roedd yna, felly, brawf 'hanesyddol' fod gan yr eglwys hawl i'w daear. Roedd ganddi Arthur i'w chefnogi hefyd; roedd hwnnw wedyn wedi herio Padarn trwy geisio dwyn un o'i wisgoedd ac, ar ôl colli (wrth gwrs), wedi dod yn noddwr iddo. Yn y Canol Oesoedd, doedd dim modd cael cefnogwr pwysicach.

Dyna'r math o ystyr cyfoes sydd yn y chwedlau am Badarn; mae yna beth gwirionedd hefyd yn yr awgrym am ledaeniad y celloedd a'r eglwysi yn ei enw, er mai ei ddilynwyr a fyddai wedi gwneud hynny, nid Padarn ei hun. Mae'r enwau, yn ganolfannau eglwysig a ffynhonnau ac enwau lleoedd, yn dangos patrwm daearyddol pendant, gyda'r sefydliadau'n lledaenu o gyfeiriad y môr, hyd y dyffrynnoedd ac weithiau dros y bylchau i ardaloedd mwy dwyreiniol.

Eglwyswr o'r enw G H Doble a wnaeth lawer i ddatrys cefndir cynnar Padarn, gan ddweud bod ei stori ef wedi ei chymysgu â hanes dau Badarn arall, Llydewig. Er bod rheswm yn awgrym y chwedlau o gysylltiad rhwng Cymru, Llydaw ac Iwerddon – mae haneswyr wedi dangos bod yna fyd gwleidyddol, crefyddol a masnachol yn troi o amgylch y gwledydd hynny, ynghyd â Manaw, gorllewin yr Alban a Llychlyn a'r moroedd rhyngddyn nhw – ei farn ef ydi mai o dde-ddwyrain Cymru y daeth Padarn mewn gwirionedd. Roedd ardal yno hefyd yn cael ei galw'n Letavia ('Llydaw') ac yno yr oedd cadarnleoedd rhai o'r seintiau cynnar pwysicaf, mewn ardal lle'r oedd gwareiddiad a chrefydd y Rhufeiniaid wedi bod yn gryf ac wedi parhau ar ôl eu hymadawiad nhw.

Trwy orllewin Ewrop y daeth dylanwad y mudiad mynachaidd i dde-ddwyrain Cymru – y syniad o berson sanctaidd yn encilio i chwilio am berffeithrwydd drwy weddïo a byw bywyd crefyddol, syml, mewn man anghysbell. Yn y cyfnod, dyna oedd ystyr 'sant' a'r bobl gyffredin a'u dilynwyr fyddai'n tadogi gwyrthiau arnyn nhw. Yn ne-ddwyrain Cymru yr oedd y saint pwysig cynnar, fel Dyfrig, Cadog ac Illtud, yn y ganrif cyn Padarn.

Yn ôl E G Bowen does yr un eglwys wedi ei chysegru iddyn nhw yng Ngheredigion, sy'n awgrymu mai rhai fel Padarn a ddaeth â Christnogaeth i'r gorllewin.

Mae'n debyg felly mai Padarn ei hun a ddaeth i lannau Rheidol, efallai gydag un neu ddau o gymdeithion, gan sefydlu canolfan ac, efallai, fan encilio arall heb fod ymhell i ffwrdd. Gydag amser, mae'n debyg y byddai gwŷr crefyddol eraill wedi ymuno ag ef. Weithiau, fel yn Llanilltud Fawr ym Mro Morgannwg neu Gaergybi yn Ynys Môn, byddai'r celloedd yn datblygu'n gymunedau sylweddol. Fe ddaeth hynny'n wir am Lanbadarn hefyd.

Fe barhaodd dylanwad y sant am fwy na 500 mlynedd rhwng afonydd Rheidol a Chlarach ac ymhell y tu hwnt. Roedd Llanbadarn wedi datblygu'n eglwys 'glas', casgliad o gelloedd mynachaidd lle'r oedd teuluoedd o glerigwyr weithiau yn dilyn ei gilydd o genhedlaeth i genhedlaeth. Yn anterth dylanwad Llanbadarn yn y ddeuddegfed ganrif, roedd yna deulu o ysgolheigion amlwg yno: y tad, Sulien, a'i bedwar mab, Rhygyfarch, Daniel, Ieuan ac Arthen ac wedyn eu meibion hwythau. Yn ogystal â gweithiau hanesyddol Cymreig, roedden nhw'n hyddysg yn y Clasuron a hynny hefyd, yn ôl awgrym E G Bowen, yn deillio o esiampl Padarn.

Erbyn cyfnod Sulien a'i ddisgynyddion, roedd bygythiad y Normaniaid yn un real iawn. Roedden nhw wedi ymosod ar y clas am y tro cyntaf yn 1073. Ar yr un pryd, trwy Gymru, roedd traddodiad y clas hefyd yn dirywio ac yn dod o dan bwysau gwleidyddol. Roedd newid mawr ar fin digwydd yn nhrefn y mynachlogydd, gyda dyfodiad urddau estron, fel y Sistersiaid. Os oedd cwlt Dewi wedi tyfu'n gryfach na chwlt Padarn, roedd goruchafiaeth y nawddsant mewn peryg hefyd oherwydd y bygythiad o'r ochr arall i Glawdd Offa a dylanwad Caergaint. Roedd gan Lanbadarn le canolog, os aflwyddiannus, yn y brwydrau i amddiffyn statws y Cymry.

Trwy'r holl newid, fe gadwyd yr etifeddiaeth mewn rhan arall o Geredigion, gan fath gwahanol o fynachod, yn Ystrad Fflur. Nid Cardi oedd Padarn ond, petai gan siroedd nawddsant, ef fyddai nawddsant Ceredigion.

Bardd y chwyldro

Dafydd ap Gwilym, tua 1315 – tua 1350 neu 1370

RHYW DAITH GERDDED oedd hi, taith gerddded myfyrwyr o'r coleg yn Aberystwyth, tua chanol y 70au. Amhendant braidd ydi'r cof, ac felly yr oedd y cerdded. Chwilio am olion bardd enwocaf Cymru oedden ni, heb wybod yn iawn yn lle na phwy yn union oedd o. Tros y blynyddoedd, rhywbeth fel yna oedd yr her i ysgolheigion hefyd wrth iddyn nhw chwilio am hanes bywyd Dafydd ap Gwilym y dyn.

Ym Mrogynin ger pentref Penrhyn-coch ar gyrion Aberystwyth y diweddodd taith y myfyrwyr ac yno y mae stori'r ysgolheigion yn dechrau. Mae yna gofeb wrth hen furddun yn awgrymu mai yno y ganed y bardd, mewn adeilad llawer cynharach na'r olion sydd i'w gweld heddiw. Ond does dim sicrwydd. Yn y diwedd, mae bron y cyfan a wyddon ni am Dafydd ei hun yn dod o'i gerddi ac o waith ditectif i gysylltu manylion yn y rheiny gyda phobl a mannau go iawn.

Ymhlith Sherlock Holmesiaid cynnar y stori yma, mae yna enwau amlwg fel Ifor Williams, Thomas Parry, Rachel Bromwich ac R Geraint Gruffydd, ond y CID diweddar, dan arweiniad Dafydd Johnston, oedd Adran y Gymraeg ym Mhrifysgol Abertawe, gyda chymorth aelodau o adrannau

Caerdydd ac Aberystwyth. Fe fuon nhw'n casglu cliwiau newydd ac yn tynnu'r holl wybodaeth ynghyd. A'r cerddi ydi'r canolbwynt.

A'm wyneb at y ferch goeth
A'm gwegil at Dduw gwiwgoeth.

Mae'n eithaf sicr fod Dafydd ap Gwilym wedi bod yn eglwys Llanbadarn ac mae'n siŵr y byddai wedi edmygu ei harddwch, pan nad oedd yn sbecian ar y merched. Ynddi hi y mae rhan o un o'i gywyddau enwocaf wedi'i gosod ac, yn nodweddiadol ohono, mae apêl y menywod yn gryfach na galwad crefydd. Mae digon o gyfeiriadau daearyddol manwl yn y cerddi i'r ysgolheigion fod yn weddol sicr mai yng nghyffiniau Aberystwyth yr oedd y bardd wedi'i fagu. 'Y genid ym mro Gynin brydydd a'i gywydd fel gwin,' meddai un gerdd amdano. Ac un cliw arall – pan sgrifennwyd yr unig gerdd y mae'r ditectifs yn amau sydd yn llaw Dafydd ap Gwilym ei hun, roedd y llawysgrif – Llawysgrif Hendregadredd – yng Ngheredigion.

Does neb yn hollol siŵr ond y farn gyffredinol bellach ydi ei fod wedi ei eni tua 1315 ac wedi marw yn gymharol ifanc tua 1350, o bosib o'r Pla Du. (Ar sail rhai o'r cerddi, mae rhai'n parhau i ddadlau tros ddyddiad hwyrach.) Un ffordd o chwilio cliwiau am y dyddiadau hynny ydi gweld i bwy yr oedd wedi canu marwnadau a phwy oedd wedi cyfeirio ato yntau mewn cerddi. Ond dydi hynny chwaith ddim yn syml i'r ditectifs. Mae yna beryg dilyn trywydd ffals. Un broblem ydi fod beirdd y cyfnod, gan gynnwys Dafydd ei hun, yn canu marwnadau ffug pan oedd pobl yn fyw – ffordd o'u canmol nhw a phryfocio hefyd.

Efallai mai marwnad ffug i Dafydd sy'n gyfrifol am ei gysylltu gyda bedd yn abaty Ystrad Fflur. Ond mae'n bosib hefyd ei fod wedi cael rhywfaint o addysg yno, gyda chyfeiriadau yn ei waith at gysylltiad â mynachod. Mae ei waith yn awgrymu ei fod wedi cael addysg a hynny'n cynnwys pynciau fel Lladin a cherddoriaeth – mae'n debyg y byddai beirdd y cyfnod yn gerddorion hefyd ac yn datgan eu cerddi i gyfeiliant.

Yn ogystal â'r cyfeiriadau yn ei gerddi ei hun, mae'r ymchwilwyr wedi dibynnu ar gyfeiriadau at Dafydd mewn cerddi gan feirdd eraill a hefyd ar astudio cofnodion llys, dogfennau yn cofnodi eiddo a gwybodaeth am swyddogion lleol. Y ddau beth mwyaf trawiadol am ei gefndir ydi'r ffaith fod barddoniaeth yn rhan o'i etifeddiaeth a bod ei deulu hefyd wedi ochri gyda'r goresgynwyr Eingl-Normanaidd wrth iddyn nhw feddiannu Ceredigion.

Mae beirdd eraill wedi cyfeirio ato fel Dafydd ap Gwilym Gam a'r 'gam' fwy na thebyg yn cyfeirio at gefn crwca neu lygaid croes. Yn un lle neu ddau, mae yna fersiwn llawnach o'r enw – Dafydd Llwyd ap Gwilym Gam – sydd efallai'n cadarnhau cof gwlad bod ganddo wallt golau. (Yn y cywydd 'Merched Llanbadarn', mae hefyd yn cyfeirio ato'i hun fel 'mab llwyd' â 'gwallt ei chwaer ar ei ben', sy'n awgrymu ei fod yn hir ei wallt hefyd.)

Beth bynnag am ei bryd a'i wedd, mae'r ysgolheigion yn eithaf sicr o'i achau. Maen nhw wedi mynd yn ôl tros naw neu ddeg cenhedlaeth at ddyn o'r enw Cuhelyn Fardd ap Gwynfardd Dyfed ac ardal Cemais yng ngogledd Sir Benfro. (Efallai fod yr enwau'n awgrymu eu bod mewn llinach o feirdd proffesiynol.) Roedd yna gysylltiad hir rhwng y teulu a theulu o oresgynwyr Normanaidd cynnar o'r enw Fitzmartin.

Hen dad-cu Dafydd oedd Einion Fawr o'r Tywyn yn ardal Aberteifi a oedd yn Gwnstabl Castellnewydd Emlyn adeg gwrthryfel gan y Cymry yn 1287–88. Roedd rhagor o deulu ei dad wedi dal swyddi gwahanol o dan awdurdod brenin Lloegr. Roedd ei dad-cu, er enghraifft, wedi ei benodi gan Edward II yn Gwnstabl Castell Aberteifi. Roedd ei fam, Ardudful, yn hanu o deulu pwysig arall. Roedd hi yn llinach Ednyfed Fychan, prif swyddog Llywelyn Fawr, ond, yn ddiweddarach, roedd ei ddisgynyddion yntau, fel sawl teulu tebyg, wedi bod yn barod i dderbyn swyddi cyhoeddus o dan y drefn Seisnig newydd.

Os ydi'r dyfalu am ddyddiad geni'n gywir, roedd Dafydd felly wedi ei eni o fewn ychydig dros chwarter canrif i'r chwalfa fwyaf erioed yn hanes Cymru gyda marwolaeth Llywelyn Ein Llyw Olaf a chwblhau'r goncwest Normanaidd. Roedd yn gyfnod o newid a datgymalu hen drefn a hen batrymau, i'r bobl ac i'r beirdd. Yn ôl R Geraint Gruffydd, roedd y ffiniau rhwng gwahanol haenau o feirdd proffesiynol wedi dechrau gwanhau yn Oes y Tywysogion ond fe brysurodd y newid pan ddaeth yr oes honno i ben, gan arwain at drefn newydd lai ffurfiol, o ran statws y beirdd a natur a chynnwys eu cerddi.

Roedd mantell ddiwylliannol y Tywysogion wedi cael ei throsglwyddo i'r Uchelwyr ac un o'r rheiny, Syr Rhys ap Gruffydd, a gomisiynodd grynodeb newydd o reolau ar gyfer y beirdd. Yn ôl R Geraint Gruffydd eto, fe fyddai hynny wedi digwydd yn union cyn i Dafydd ap Gwilym ddechrau canu ac mae'r rheolau yn dangos dylanwad Ewropeaidd. Yn yr hyn y maen nhw'n ei wahardd a'i ganiatáu. Maen nhw'n dystiolaeth fod y rhagfuriau rhwng gwahanol fathau o feirdd a cherddi wedi chwalu rhywfaint. Roedd Dafydd ap Gwilym ar flaen y newidiadau.

Curiodd anwadal galon,
Cariad a wnaeth brad i'm bron.

Yn nyddiau'r Tywysogion, englynion ac awdlau cymhleth a chywrain ofnadwy oedd gwaith y beirdd pwysicaf. Ond prif gyfrwng Dafydd ap Gwilym oedd y cywydd, gan osod patrwm a fyddai'n para am tua 500 mlynedd. Ac addasiad oedd y cywydd o fath o bennill – traethodl – oedd yn arfer cael ei ddefnyddio gan y beirdd is eu statws. Mae datblygiad y mesur newydd i'w weld yng ngherddi Dafydd, ac agwedd lai caeth at rai o'r dyfeisiadau ffurfiol oedd yn rhan bwysig o'r farddoniaeth gynharach. Dyna'r chwyldro o ran math o gerddi.

Roedd yna chwyldro mewn cynnwys hefyd. Ffurfiol iawn oedd pynciau a natur y rhan fwyaf o gerddi Beirdd y Tywysogion – yn bennaf cerddi mawl a cherddi crefyddol. Er bod Dafydd yn moli, mae'r rhan fwyaf o'i gerddi yn ymwneud â serch ac, i raddau llai, byd natur. Y farn ydi fod hynny'n dangos dylanwad cerddi serch Ewropeaidd a beirdd mwy israddol y traddodiad Cymraeg. Ar ôl i'r drefn wleidyddol a chymdeithasol ddadfeilio, mae'n ymddangos bod cyfle wedi ei greu i'r beirdd chwalu'r ffiniau hefyd.

Ys dewr, ystyriol ydwyd,
Ystôr ym, ys da ŵr wyd.

Gyda'r ganmoliaeth yna i ddyn o'r enw Ifor ap Llywelyn o Fasaleg yng Ngwent, roedd Dafydd ap Gwilym yn torri tir gwirioneddol newydd. Yn ôl R Geraint Gruffydd, mae'n bosib mai'r cerddi i Ifor ydi'r cywyddau mawl cyntaf erioed yn Gymraeg (yn hytrach nag awdlau ac englynion mawl). Maen nhw hefyd yn dangos ei fod wedi teithio i dde-ddwyrain Cymru i gael nawdd y dyn yr oedd yn ei alw yn Ifor Hael – yn ogystal â bod yn ddewr, ystyriol a da, roedd yr uchelwr hefyd yn 'storfa' faterol i'r bardd.

Mae cerddi eraill yn awgrymu bod Dafydd wedi teithio yn

helaeth yn y Gogledd (mae sôn er enghraifft am Niwbwrch ym Môn a Chadeirlan Bangor). Mae'n bosib ei fod wedi byw am gyfnod yn rhan o dylwyth Hywel ap Goronwy, Deon Bangor, ac yn yr eglwys gadeiriol yno hefyd fe gafodd ei lygad ei dynnu gan ferch. Ond o'r holl ferched, roedd un uwchben y gweddill...

Hoywdeg riain a'm hudai,
Hael Forfudd, merch fedydd Mai.

Does gan y rhan fwyaf o ysgolheigion ddim amheuaeth fod Morfudd yn bod go iawn (er bod ambell un wedi awgrymu mai rhyw fath o deip, neu fenyw gyffredinol ddychmygol, oedd hi). Mae'n debyg ei bod yn un o deulu Nannau ger Dolgellau ac, yn ôl sawl awgrym, yn dod o Feirionnydd. Yn ddiweddarach, y gred ydi ei bod hi'n briod gyda masnachwr o'r enw Cynfrig Cynin ac yn byw yn ardal Llanbadarn. Ei enw ef yn y dogfennau swyddogol ac yn y cerddi ydi Y Bwa Bach.

Mae'r ysgolheigion wedi ceisio defnyddio'r cywyddau – 35 ohonyn nhw yn ei henwi hi ac eraill yn weddol sicr yn cyfeirio ati – i greu stori... fod Dafydd a hithau wedi cwrdd yn ifanc ac wedi gwirioni ar ei gilydd... ei bod hi wedyn wedi priodi ond fod eu carwriaeth wedi parhau... weithiau roedden nhw'n cwrdd yn llwyddiannus, weithiau roedd amgylchiadau neu Forfudd ei hun yn ei rwystro... er ei fod yn gwybod na ddylai gael perthynas â menyw briod, mae'n methu ag atal ei hun... yn ôl un clwstwr o gerddi, roedd wedi gorfod dianc a gadael yr ardal rhag dicter y Bwa Bach... yn y diwedd, mae'n gorfod ildio a chydnabod ei bod hithau wedi heneiddio.

Does dim straeon tebyg ynghlwm wrth ferched eraill y cywyddau, er bod amryw yn bod go iawn. Roedd Dyddgu, er enghraifft, yn ferch i Ieuan ap Gruffudd ap Llywelyn o waelod Ceredigion; roedd Angharad yn wraig i Ieuan Llwyd o Barcrhydderch ac Elen yn wraig i Sais pwysig o'r enw Robin Nordd o Aberystwyth. Nid cariadon fyddai'r rhain, fwy na thebyg, ond testunau cywyddau 'esgus serch' – ffordd o'u moli. Yn achos Dyddgu, mae'r cywyddau'n gwneud yn glir ei bod y tu hwnt i'w gyrraedd.

Mae yna ddwy elfen arall newydd yn y cywyddau serch: yr hiwmor – er enghraifft, wrth sefyll yn wlyb botsh dan fargod yn aros am Forfudd – a byd natur, gydag anifeiliaid ac adar yn cael eu hanfon yn negeswyr at y gwahanol ferched. 'Trafferth mewn Tafarn', gyda Dafydd yn taro yn erbyn llestri a dodrefn wrth geisio cyrraedd llofft merch, ydi'r enghraifft enwocaf o'i ddoniolwch ond mae agwedd ysgafn a ffraethineb yn llawer o'i waith ac mae ganddo gywyddau hefyd yn benodol i fyd natur.

Mae'r cyfan i gyd yn golygu fod Dafydd ap Gwilym yn arweinydd, os nad yn sylfaenydd, math newydd o farddoniaeth. Un posibilrwydd, meddai R Geraint Gruffydd, yw mai ef a ddyfeisiodd y cywydd, bron yn union fel y mae'r mesur heddiw yn ein dyddiau ni. Er bod yr athrylith hynod Iolo Morganwg wedi gosod pob math o gliwiau ffals – trwy ffugio cywyddau yn enw Dafydd ap Gwilym – mae'r ditectifs bellach wedi setlo ar gasgliad o 147 o gerddi sy'n bendant ganddo neu ag ôl ei fysedd trostyn nhw.

'Yn y pen draw, rhaid derbyn mai ofer yw holi a oedd y Dafydd ap Gwilym o gig a gwaed yn gydymaith clòs i'r cymeriad gwefreiddiol hwnnw a grëwyd ganddo drwy gyfrwng ei farddoniaeth' – dyna farn Dylan Foster Evans a Sara Elin Roberts ar ddiwedd eu hysgrif ar y We yn cofnodi'r dystiolaeth i gyd am fodolaeth y bardd a'i gylch. Peryg mai cymysgedd sydd yna o berson go iawn a dychymyg...

Mae fel petaen ni'n cerdded trwy goedwig heulog a'r

pelydrau'n chwarae mig â ni. Bob hyn a hyn, fe gawn gip ohono yn llithro rhwng boncyff a boncyff... ambell fflach o liw, ond heb weld ei wyneb. Yr hyn sydd yno, yn ein galw ymlaen ac yn ein denu, ydi sŵn ei lais.

Nid y lleidr pen-ffordd

Thomas Jones (Twm Siôn Cati), 1532–1609

'Mae'n wir i fi,' oedd ateb enwog T Llew Jones ar ôl i blentyn holi am eirwiredd un o'i straeon. Dyna fyddai'r ateb gorau ynghylch hanes arwr mwyaf ei nofelau plant hefyd, y lleidr pen-ffordd Twm Siôn Cati. Mewn gwirionedd, mae yna ddau hanes i'w dweud unwaith eto: hanes y chwedl am Twm Siôn Cati a hanes Thomas Jones, y dyn go iawn.

Yn 1763 y daeth y pamffledyn cyntaf amdano, *Tom Shone Catty's Tricks*, ond roedd hwnnw'n amlwg yn ffrwyth straeon llafar gwlad a fyddai wedi cylchdroi yn ardal Tregaron. Fe gynyddodd y diddordeb ar ôl i Samuel Rush Meyrick adrodd dwy neu dair o'r straeon amdano yn ei lyfr am hanes Ceredigion yn 1810. Erbyn 1823, roedd wedi cyrraedd y llwyfan yn Llundain, mewn drama yn y Coburg Theatre a darn mewn llyfr, *The Innkeeper's Album*, y ddau gan Sais o'r enw William Deacon.

Ceisio adfer Twm yn eiddo i'r Cymry yr oedd T J Llewelyn Prichard wrth gyhoeddi *The Adventures and Vagaries of Twm Shon Catti* yn 1828, llyfr a ddaeth yn boblogaidd ofnadwy ac sydd wedi ei alw yn nofel Saesneg gyntaf Cymru. Un stori (ddychmygol) ydi hi am daith i Lundain sy'n llawn o gampau ac ystrywiau Twm. Traddodiad lleol a *chap-book* (neu lyfr baledi) oedd y ffynhonnell, mae'n debyg. Ar ôl hynny, fe gydiodd y straeon a Twm Siôn Cati'n cael ei drafod yn yr un gwynt â'r 'lleidr egwyddorol' Robin Hood yn Lloegr a'r gwrthryfelwr rhamantus Rob Roy yn yr Alban.

Ar lawer ystyr, mae chwedl Twm Siôn Cati yn ffitio i syniad yr hanesydd Eric Hobsbawm am y 'gwylliaid cymdeithasol' sydd i'w cael yn hanes gwledydd ar hyd a lled y byd. Pobl yn byw ar ymylon cymdeithas fyddai'r rheiny, yn torri'r gyfraith ac yn gwrthryfela yn erbyn awdurdod ond, yn dawel bach ac weithiau'n amlwg, yn cael cefnogaeth y bobl gyffredin. Enghraifft arall yng Ngheredigion o'r ffenomenon yma ydi Siôn Cwilt, y smyglwr; er ei fod yn torri'r gyfraith, roedd y gyfraith honno'n cael ei gweld yn rhan o drefn annheg, ormesol, ac fe ddaeth yn arwr i bobl gyffredin. Roedd ei enw ef ac enw Twm Siôn Cati yn ennyn cymysgedd o dwt-twtian ac edmygedd.

Er mwyn cynnal statws y dihiryn caredig, allai rhai fel nhw ddim â chael eu gweld yn greulon neu'n rhy beryglus. Yn y chwedlau, mae Twm yn aml yn cael y gorau ar bobl gyfoethog neu drahaus neu hyd yn oed ar ladron eraill. Cyfrwystra ydi ei arf a does dim casineb yn ei weithredoedd.

Yn aml, fe fyddai straeon y gwylliaid cymdeithasol yn tyfu a thyfu a newid tros amser i weddu ag amgylchiadau cyfnewidiol, yn cael eu defnyddio i gefnogi achos y werin, efallai, neu yn newid nes eu bod yn troi yn arwyr cenedlaethol.

Enghraifft o hynny ydi'r Twm rhamantus sydd yn nofelau plant T Llew Jones – Cymro sy'n ymladd yn erbyn gormes landlordiaid a'u diwylliant estron. Mae hyd yn oed yn cyplysu hanes y lleidr pen-ffordd gyda chwedl gymdeithasol o gyfnod arall, am y tirfeddiannwr caled, Herbert Lloyd o Ffynnon Bedr, Llanbed. Cymeriad arwrol tebyg oedd yn y gyfres deledu Saesneg, *Hawkmoor*, yn yr

1970au a honno eto yn cymysgu ychydig ar gyfnodau ac yn dyfeisio cymeriadau newydd. Y cyfan, fel rheol, yn cynnwys llygedyn o wir.

Fe fyddai ucheldiroedd Ceredigion yng nghyfnod Thomas Jones yn dir ffrwythlon ar gyfer cymeriadau felly. Mewn sawl ardal wledig yn Oes y Tuduriaid, roedd yna bobl yn byw ar ymylon y gyfraith ac, yn aml, yn croesi i'r ochr arall. Gwylliaid Cochion Mawddwy ydi'r rhai mwyaf enwog ond roedd yna gangiau tebyg mewn ardaloedd eraill a Chwmystwyth, er enghraifft, yn adnabyddus am fod yn ardal beryglus. Un elfen gyffredin, yn aml, oedd eu bod yn llechu ar y ffin rhwng dwy ardal gyfiawnder er mwyn i'r gwylliaid allu dianc o'r naill i'r llall; fe fyddai hynny'n wir am gynefin Twm.

Tros y blynyddoedd ac yn araf bach y mae haneswyr wedi pwytho at ei gilydd hanes y dyn go iawn – y Thomas Jones o blasty bychan Porth-y-ffynnon ar gyrion Tregaron a fu mewn helyntion cyfreithiol yn gynnar yn ei fywyd ond a orffennodd yn ynad heddwch ac yn swyddog yn nhref Aberhonddu. Mae yna hefyd ambell ddarn o farddoniaeth ar glawr ganddo a thua 15 o sgroliau achau yr oedd wedi eu creu ar gyfer tirfeddianwyr cyfoethog.

Dyn rhyfeddol o'r enw John Dee, perthynas pell i Twm ei hun, oedd y cyntaf i roi dyddiad pendant ar gyfer ei eni – 1 Awst 1532 (bron 60 mlynedd ynghynt na thystiolaeth y chwedlau). Gan fod John Dee yn astrolegwr, yn ogystal ag ysgolhaig a mystig, fe fyddai'r union ddyddiad yn bwysig iddo ac mae yna dystiolaeth fod y ddau ddyn wedi llythyru â'i gilydd a bod Thomas Jones wedi mynd i gwrdd â Dee yn Llundain a Manceinion yn yr 1590au.

Mae'r dystiolaeth yn weddol glir am achau Twm hefyd – ei fod yn fab anghyfreithlon i Siôn ap Dafydd ap Madog ap Hywel Moethe o Borth-y-ffynnon, a Catrin (Cati)

Jones a oedd yn ei thro yn ferch anghyfreithlon i un o deulu'r Wynniaid o Wydir. Pan ymddangosodd un o blant anghyfreithlon Twm mewn achos llys, 'John Moythe' oedd ei enw. Fel John Dee, roedd Thomas yn hawlio cysylltiad teuluol â Robert 'Seisyllt' Cecil, y Cymro o dras o swydd Henffordd, a ddaeth yn Arglwydd Burghley ac yn un o wleidyddion mwyaf grymus Elizabeth I.

Yn 1559 y mae enw Thomas Jones yn ymddangos gyntaf mewn dogfennau cyfreithiol, wrth i Elizabeth roi pardwn i fwy na 2,700 o droseddwyr pan ddaeth i'r orsedd. Yn ôl yr ysgolhaig, Daniel Huws, mae yna dri fersiwn gwahanol o'i enw ar y ddogfen honno, sy'n awgrymu tair trosedd wahanol. Doedd yna ddim pardwn am lofruddiaeth na lladrad arfog, felly mae'n ymddangos mai am droseddau llai yr oedd Thomas Jones wedi ei gosbi.

Mae'r dyddiad yn cyd-daro â stori arall, ei fod yn Brotestant ac wedi gorfod dianc i Genefa pan ddaeth Mari Waedlyd, chwaer Gatholig Elizabeth, yn frenhines o'i blaen. Beth bynnag y gwir, wnaeth Thomas ddim newid ei ffyrdd yn llwyr gan ei fod yn ddiffynnydd eto yn Sesiwn Fawr Morgannwg yn Awst 1561 ar gyhuddiad o 'felony'. Gallai hynny olygu nifer fawr o droseddau, gan gynnwys lladrata eiddo, neu wartheg efallai. Mae'n bosib fod cofnodion llys eraill sydd heb ddod i'r amlwg eto a fyddai'n datgelu rhagor am ei anturiaethau go iawn.

Mae'r ymddangosiad llys nesaf sy'n hysbys – yn 1601 – yn egluro ychydig ar yr enw oedd gan Twm Siôn Cati am ymladd dros y bobl gyffredin. Ac yntau erbyn hynny yn ddyn parchus ac yn 'stiward' ar ardal Caron, roedd wedi dwyn achos yn llys uchelwrol Siambr y Seren yn cwyno am ormes Morgan David, ficer Tregaron, yn erbyn ei blwyfolion. Roedd hynny'n cynnwys dinistrio gwerth £40 o gnydau a chael ei ddynion i ymosod ar rai ohonyn nhw, a cheisio crogi John Moythe, mab Twm ei hun.

Os oedd yn defnyddio'r gyfraith er ei les ei hun y tro hwnnw, mae yna dystiolaeth arall fod Thomas Jones y dyn parchus a'r perchennog plasty wedi bod yn herwr. Tystiolaeth o'i farddoniaeth ef ei hun. Mae ambell gerdd, englyn a chywydd yn y llawysgrifau yn ei enw ac un o'r rheiny, yn ôl Daniel Huws, yn brolio am borthmona, dwyn o dai a rhannu nawdd ariannol. Mewn cerdd arall mae'n sôn am droi at gadw'r gyfraith ac am 'adael y perthi', ac mae un o'i gystadleuwyr barddol hefyd yn awgrymu ei fod wedi troi cefn ar dorri'r gyfraith ac wedi dechrau canmol pobl bwysig er mwyn dod yn 'geidwad Aberhonddu'. Mae'r cofnodion yn dangos ei fod yn feili yno yn 1569.

Yn ôl cofnod John Dee o un o'u cyfarfodydd, roedd Thomas Jones wedi sôn am orfod gadael er mwyn cwrdd â'r gwartheg; awgrym ei fod, erbyn hynny, yn yr 1590au, yn ymwneud â phorthmona. O gofio hynny, y cyfnod a'r cyfle, mae'n bosib iawn mai lleidr gwartheg oedd Twm Siôn Cati yn hytrach na lleidr pen-ffordd ar batrwm Dic Turpin. Yn ucheldiroedd yr Alban, er enghraifft, ac ar y ffin rhyngddi hi a Lloegr, roedd dwyn gwartheg yn ffordd o fyw i lawer o bobl yr ymylon.

Fe fyddai'r sgroliau achau wedi helpu Thomas Jones yr herwr i ddod yn barchus. Gydag awydd teuluoedd cyfoethog Oes y Tuduriaid i ddangos eu bod o waed uchel, roedd olrhain llinach wedi dod yn boblogaidd iawn. I ddyn fel Thomas Jones, mae'n siŵr ei fod yn gyfle amlwg i ddod yn 'herodr' yn ymchwilio i gefndir teuluoedd ac i wneud ychydig o arian. Er ei fod yn cael ei gydnabod yn 'brif herodr', yr amlycaf a'r mwyaf cywir – y 'godidocaf a phennaf a pherffeithiaf yng nghelfyddyd arwyddfarddoniaeth' – doedd y safonau ysgolheigaidd ddim yn llym ofnadwy gan fod amryw o'r sgroliau'n cyrraedd yn ôl at Adda ei hun. Yn ôl Daniel Huws, fe fyddai Twm wedi cyflogi ysgrifenwyr ac arlunwyr i'w helpu gyda'r gwaith.

Mae gan bobl Ceredigion air i ddisgrifio rhai fel Thomas Jones, boed nhw'n fonheddwyr neu un o'r werin. Roedd yn dipyn o strab, yn ei fywyd go iawn, yn ogystal ag yn y chwedlau. (Mae un o'i englynion yn cyfarch morwyn ifanc o'r enw Siân sydd ar hanner cyflawni gweithred eillio a fyddai heddiw yn cael ei galw yn rhywbeth fel *Brazilian.*) Ac efallai fod yna wir yn y stori am ei ogof hefyd, yn ardal Ystrad-ffin, heb fod ymhell o Gronfa Brenig heddiw, yn y tir neb rhwng Tregaron a Llanymddyfri, rhwng siroedd Aberteifi a Chaerfyrddin. Yno, ar lethrau bryn o'r enw Dinas, yr oedd yn cuddio, medden nhw, pan oedd yr awdurdodau ar ei wartha'. Heb fod ymhell oddi yno, yn sicr, yr oedd y ddynes a ddaeth yn ail wraig iddo.

Yn ôl tystiolaeth un o'r beirdd, roedd hi'n wybyddus fod Thomas Jones wedi dwyn gwraig rhywun arall, ac mae'n debyg iawn mai Joan Williams, ei ddarpar ail wraig, oedd honno. Os felly, fe fyddai'r garwriaeth wedi dechrau tra oedd gŵr Joan, Thomas Williams, yn fyw. Roedd yn dirfeddiannwr yn Ystrad-ffin ac fe briodod Twm o fewn pythefnos i'w farwolaeth. Roedd hi, yn ei thro, yn ferch i Syr John Price, Aberhonddu; cysylltiad defnyddiol arall.

Yn 1607 y bu'r briodas, ddwy flynedd cyn ei farw, ac yntau yn 77 oed. Yno, o fewn cyrraedd i'r ogof sy'n dwyn ei enw, fe ddaeth yr hanes a'r chwedl ynghyd.

Mab y daran

Daniel Rowland, Llangeitho, 1713–90

PENTREF BACH TAWEL iawn ydi Llangeitho; clwstwr o hen dai o amgylch clwt glas o dir yn y canol ac adeiladau mwy diweddar, eglwys, hen ysgol a chapel ymhellach ar y cyrion. Mae'n anodd dychmygu chwyldro yn digwydd fan hyn.

Eto, yn 1763, dyna oedd ar droed. Petaech chi'n cyrraedd Llangeitho ambell ddydd Sul, fe fyddech chi'n gweld cannoedd o geffylau wedi'u clymu hyd ymyl y ffyrdd ac, ymhell cyn cyrraedd y pentref, fe fyddech chi'n gweld – a chlywed – y bobl.

Yn ôl ambell amcangyfri', fe fyddai cymaint â 10,000 yn y pentref weithiau, bron 2% o holl boblogaeth Cymru. Ac fe fydden nhw'n gweiddi geiriau fel 'Bendigedig!' a 'Gogoniant!' nerth eu lleisiau. Fe fyddai rhai yn cwympo i'r llawr ac yn gorwedd yn ddiymadferth yno, eraill yn neidio a thasgu a chwifio'u breichiau yn yr awyr.

Capel bach disylw oedd canolbwynt y cyfan: adeilad newydd to gwellt a waliau clom, o'r golwg bron ynghanol yr holl bobl. Yno yr oedd Daniel Rowland. Erbyn dechrau'r Diwygiad Mawr yn 1762, roedd dros ei hanner cant ac yn cael ei ystyried yn bregethwr mwyaf Cymru, yn enwog trwy'r wlad a thu hwnt. Cyn bo hir, fe fyddai'n rhaid cael capel newydd, mwy.

Petaech chi'n gwrando ar leisiau'r gynulleidfa, fe fyddech chi'n sylwi bod rhai wedi dod o bell. Cardis fyddai'r mwyafrif ond roedd rhai wedi teithio cymaint ag 80 milltir, ar longau o Lŷn hyd yn oed, gan lanio ym mhorthladdoedd bychain Llanrhystud a Llanddewi Aber-arth neu draw yn Aberystwyth a cherdded yr holl ffordd.

Dyma'r Diwygiad Mawr ac, erbyn 1763, roedd yn ei anterth. Yn ystod y blynyddoedd nesaf, fe fyddai Methodistiaid yn lledu'n gryf ar draws siroedd de Cymru; ar ôl tua 1790, fe fyddai'n cydio yn y Gogledd hefyd; erbyn canol y ganrif wedyn, Methodistiaid Calfinaidd fyddai enwad mwyaf Cymru. Roedd y gwaith wedi dechrau ar greu delwedd o Gymru dduwiol, grefyddol ac yn Llangeitho rhwng 1762 ac 1764 yr oedd hynny.

Nid fod Llangeitho'n anghyfarwydd â diwygiadau crefyddol. Roedd yna gynhyrfiad neu ddau wedi bod yno cyn 1763 a miloedd yn teithio i'r pentref yn yr 1740au hefyd, i gymuno a gwrando ar bregethau Daniel Rowland. Ond hwn oedd y chwyldro mawr. Ar ôl cyfnod tawelach yn yr 1750au, roedd y cynnwrf wedi cydio eto, yn gryfach nag erioed.

Fe fyddai llawer o bregethwyr eraill yn dod i'r gwasanaethau mawr yn 1762–4. Rhai ohonyn nhw, fel Daniel Rowland, wedi eu hordeinio'n offeiriaid yn Eglwys Loegr, eraill yn genhadon, yn teithio Cymru yn annog ac efengylu. Mae'n weddol sicr y byddai William Williams, Pantycelyn yno; roedd wedi bod yn cynorthwyo yn Llangeitho yn yr 1740au ac, erbyn 1763, wedi dechrau sgrifennu'r emynau a oedd yn gyfeiliant i bregethau Rowland. Efallai y byddai'r trefnwr mawr, Howell Harris, yno hefyd – ar ôl ffraeo â Daniel Rowland yn 1750, roedd wedi dod yn ôl.

Pam oedden nhw yn Llangeitho o bob man? Oherwydd

Daniel Rowland. A phe baech chi'n gwrando arno'n pregethu, fe fyddech chi'n deall pam. Mae yna sawl disgrifiad o'i arddull... Yn ei flynyddoedd cynnar, tân a brwmstan oedd hi – codi arswyd ar ei gynulleidfa ynghylch digofaint Duw. Erbyn 1762–4, roedd yn llawer mwy graslon, yn rhybuddio a dychryn ond hefyd yn sôn am achubiaeth a chysur yng nghwmni Iesu Grist.

Fe fyddech chi'n sylwi hefyd ei fod yn deall seicoleg pobl, ymhell cyn i'r gair ddod i fod. Fe fyddai'n dal sylw'r dyrfa gyda darluniau neu ddywediadau trawiadol, yn codi i gresendo hanner dwsin o weithiau yn ystod pregeth, gan gynhyrfu'r gynulleidfa bob tro. Eu gollwng wedyn a'u codi eto a phob ymchwydd yn mynd yn uwch.

Er bod Pantycelyn yn ei alw'n 'Boanerges', mab y daran, mae'n debyg nad oedd yn gweiddi: roedd ganddo lais clir, treiddgar a allai feddalu hefyd. Yn ôl un o ddiwygwyr mawr Lloegr, George Whitfield, roedd gwrando ar Daniel Rowland 'yn ddigon i wneud i galon dyn losgi o'i fewn'. Er bod sôn y gallai bregethu am gymaint â phedair awr yn ei ddyddiau ifanc, erbyn 1762–4 roedd hi'n nes at dri chwarter awr ac yntau wedi deall beth oedd yn siwtio'i bobl. Fe fyddai'n defnyddio iaith bob dydd a chymariaethau syml o fywyd bob dydd, nes fod Howell Harris sych-syber yn ei gyhuddo o fod yn 'rhy ysgafn'. Fe gymharodd fywyd Cristion â phêl yn bownsio – caleta'n y byd yr oedd hi'n cael ei bwrw i'r llawr, ucha'n y byd yr oedd hi'n codi.

Fe fyddai wedi nabod ei bobl. Roedd yn byw a phregethu yn yr ardal lle'r oedd wedi ei eni a'i fagu, lle'r oedd ei dad yn ficer ar Langeitho a Nantcwnlle. Er ei fod, mae'n debyg, wedi bod mewn ysgol yn Henffordd, yn ôl y daeth yntau, yn giwrad i'w dad ac wedyn ei frawd. Roedd wedi ei ordeinio'n llawn erbyn 1735 pan oedd dros 22 oed. (Mae anghytundeb am union flwyddyn ei eni ond yr angen i fod yn 23 cyn cael eich ordeinio ydi un ddadl dros 1711 yn hytrach na'r 1713 mwy arferol.)

Roedd honno'n flwyddyn fawr mewn ffordd arall hefyd. Dyna pryd y daeth dan ddylanwad Griffith Jones, Llanddowror, y trefnydd ysgolion teithiol a phregethwr mwyaf ei genhedlaeth. Yn ôl ei gofiant, roedd Daniel Rowland tan hynny yn ddyn ifanc di-ofal ymhell iawn o fod yn sych-dduwiol, yn dda gyda champau a chwaraeon ac yn arweinydd yn y dafarn, hyd yn oed ar brynhawniau Sul.

Pan aeth i wrando ar Griffith Jones, yn ôl y stori, roedd ei osgo falch a heriol yn ddigon i'r hen batriarch sylwi'n benodol arno. Fe oedodd y gwasanaeth i weddïo dros enaid y dyn ifanc ac fe gafodd hynny effaith syfrdanol arno yntau. Fe newidiodd ei ffyrdd. Cyn hir, roedd y siarad wedi mynd ar led am giwrad ifanc Llangeitho a'i bregethu grymus. Yr 'offeiriad crac' oedd un glasenw arno.

O dri arweinydd mawr y Diwygiad Mawr – Pantycelyn a Howell Harris oedd y ddau arall – am Daniel Rowland y mae lleiaf o wybodaeth. Roedd un o gefnogwyr mawr Methodistiaid Lloegr, Arglwyddes Huntingdon, wedi cael ei bapurau ar gyfer creu cofiant ond, ar ôl ei marwolaeth hi yn fuan wedyn, fe aethon nhw ar goll. Trwy bapurau a disgrifiadau pobl eraill a thrwy dystiolaeth rhai oedd yn ei gofio y mae modd creu darlun bras.

O ran corff, roedd yn gymharol fyr a chryf, yn symud yn fywiog a cherdded yn gyflym. Roedd yn gyflym ei feddwl hefyd ac yn gallu gweld yn ddigon clir i egluro pethau'n syml i eraill. Y darlun traddodiadol ohono yw'r un sydd yn y cerflun y tu allan i'w gapel yn Llangeitho, patriarch awdurdodol ei olwg. Ond mae'n rhaid cofio mai dyn ifanc, tanllyd, yn ei ugeiniau oedd Rowland ar ddechrau'r siwrnai.

Mae'r hanesydd o Gardi, Geraint H Jenkins, wedi rhoi

ambell reswm pam mai yng Ngheredigion y taniodd y Diwygiad. Roedd Dyffryn Teifi yn y cyfnod yn ganolfan bwysig o ran diwylliant a llên ac roedd yna nythaid o glerigwyr bywiog a dawnus. Yno, yn Adpar, yr oedd y wasg argraffu gyntaf yng Nghymru wedi ei sefydlu, mor ddiweddar ag 1718. Roedd canu halsingod hefyd yn draddodiad – math o garolau neu benillion crefyddol poblogaidd, rhagflaenwyr o fath i emynau Pantycelyn. Roedd Daniel Rowland ei hun wedi cyhoeddi nifer o emynau cyn i Williams ddechrau arni. Ond, erbyn 1763, pregethu Rowland ac emynau Pantycelyn oedd y gwynt yn hwyliau'r Diwygiad Mawr.

Roedd popeth wedi dechrau o ddifri yn 1737, pan groesodd ffyrdd Daniel Rowland a Howell Harris am y tro cyntaf. Fe sgrifennodd Harris am 'y grym rhyfeddol a'r awdurdod' ym mhregethu Rowland gan ei weld yn y pulpud 'wedi'i amgylchynu â gogoniant'. Am rai blynyddoedd, eu partneriaeth nhw oedd yn gwthio'r chwyldro yn ei flaen – Rowland, yr offeiriad a'r pregethwr, yn ei Fecca yn Llangeitho a Howell Harris, y trefnydd a'r cenhadwr, yn teithio Cymru yn sefydlu canghennau – seiadau – o'r mudiad newydd. Ond roedden nhw'n ddau gymeriad cryf a gwahanol iawn i'w gilydd a chwalu wnaeth eu perthynas.

Yn 1750 y daeth y rhwyg, yn rhannol tros syniadau. Roedd Daniel Rowland yn cyhuddo Howell Harris o grwydro oddi wrth athrawiaeth yr efengyl, yn ei amau o glosio gormod at sectau llai dibynadwy eu barn. Yn ei dro, roedd Harris ddihiwmor yn beirniadu Daniel Rowland am fod yn rhy ysgafn ac arwynebol ac yn rhy hoff o chwerthin – doedd gwrando ar Daniel Rowland, meddai unwaith, ddim mwy bendithiol na phe bai rhywun wedi canu baled. Dro arall, 'dim ond llaeth i Fabanod' oedd ei neges, a chorwyntoedd allanol o emosiwn.

Problem arall oedd y berthynas anghyfforddus o agos rhwng y gŵr priod, Howell Harris, a'r wraig briod fonheddig, Sidney Griffith. Cyn bo hir, roedd y Methodistiaid wedi rhannu'n 'Bobl Rowland' a 'Phobl Harris'.

Ac yntau wedi cilio i greu math o gomiwn crefyddol cynnar yn Nhrefeca ger Aberhonddu, fe ddechreuodd Diwygiad Mawr 1762–4 heb gymorth Howell Harris. Fe ddaeth yn ôl i'r gorlan wrth i'r symudiad afael, ond fu pethau ddim yr un fath. Erbyn hynny hefyd, roedd y Methodistiaid yn raddol yn cael eu gwthio i ddod yn fudiad y tu allan i'r Eglwys. Er iddo gadw urdd offeiriad Eglwys Loegr tan y diwedd er ei fod yn anghytuno â'r nod, roedd Daniel Rowland yn rhan o'r rheswm am hynny.

Yn 1763, fe gollodd ei drwydded i bregethu a'i giwradaeth hefyd. Hynny oherwydd ei waith gyda'r Methodistiaid. Mewn termau modern, roedd y Methodistiaid yn cael eu gweld yn fath o *Militant Tendency* crefyddol – corff o fewn corff oedd â'i drefn ei hun a'r bwriad yn y pen draw i chwalu neu wyrdroi yr Eglwys.

O ganlyniad, nid mater hawdd, diogel oedd bod yn Fethodist. Roedd yr arweinwyr yn aml iawn mewn peryg; ar deithiau pregethu, fe fyddai tyrfaoedd yn ymosod arnyn nhw, weithiau dan anogaeth y meistri tir oedd yn ofni'r mudiad newydd. Roedd yna sôn am ddigwyddiad yn un o bentrefi glannau Ceredigion pan ddaeth dynion gyda gynnau a phastynau i fygwth y Methodistiaid, ac am Daniel Rowland ei hun yn cael ei anafu yn ei ben. Ond mae gan yr hanesydd Gerald Morgan hefyd stori dda am un o weision plasty Aber-mad yn cael ei anfon i darfu ar un o'i bregethau ond yn cyrraedd yn ôl adref wedi cael tröedigaeth.

Ym marn Gerald Morgan, roedd 'dylanwad Daniel Rowland ar bobl Cymru a hanes Cymru yn fwy nag unrhyw un arall o feibion a merched Ceredigion'. Er bod modd gorddweud effaith diwygiadau Llangeitho – fe fu dau arall yn 1781 ac 1790, er enghraifft – ac er bod eu dylanwad ar lawer o'r miloedd yn fyrhoedlog, oddi yno y datblygodd y ffordd o fyw a fyddai'n tra-arglwyddiaethu tros fywyd cyhoeddus y wlad am ganrif a hanner. Allai'r annuwiol hyd yn oed ddim osgoi effeithiau'r chwyldro Methodistaidd.

Er gwell, ac weithiau er gwaeth, fe gafodd Cymru'r Daniel Rowland ifanc ei newid am byth. Ac mae Llangeitho heddiw yn dawelach.

Tad meddw dysg Gymraeg

Evan Evans, Ieuan Fardd, 1731–88

WAETH CYFADDE DDIM, dw i wedi bod mewn sawl tafarn yng Nghaernarfon... ond fe fyddwn wedi rhoi'r byd am fod yn un ohonyn nhw yn 1783 pan ddaeth dau fardd ynghyd, Robin Ddu o Fôn a Ieuan Fardd o Geredigion. Yn ôl Robin Ddu, roedd y Cardi'n flêr a charpiog iawn ac wedi ei regi a'i felltithio mewn iaith a fyddai'n deilwng o farchnad bysgod Billingsgate. Dadl rhwng de a gogledd oedd hi, mae'n debyg, a Ieuan Fardd yn bygwth troi at ddyrnau.

Tri pheth oedd wedi taro Robin am Ieuan (Evan Evans a rhoi iddo'i enw bedydd): ei falchder, ei 'ddrygfoes' (meddwdod yn bennaf) a'r graith fawr o dan ei ên; arwydd mae'n debyg ei fod wedi ceisio lladd ei hun ryw dro yn ystod ei fywyd cythryblus. Ond fe allai Robin fod wedi dweud hefyd mai dyma ysgolhaig mwyaf ei oes a'r dyn a wnaeth fwy na neb hyd hynny i achub a dyrchafu'r traddodiad llenyddol Cymraeg.

Yn ôl ffrind, roedd Ieuan yn ddyn ffyrnig ei ffordd, yn enwedig wrth drafod unrhyw annhegwch at Gymru. O ran ei olwg, roedd yn dal, yn athletaidd ac o bryd tywyll. Un o'i noddwyr, Lewis Morris o Fôn, oedd wedi rhoi enw barddol arall iddo, Ieuan Brydydd Hir, yr un enw ag un o Feirdd yr Uchelwyr – yn achos Ieuan Fardd, roedd yn gyfeiriad at ei daldra a chydnabyddiaeth o'i barch anferth at yr hen gewri.

Mae sawl un wedi llwyddo i grisialu buchedd Ieuan mewn ffordd gofiadwy. Yn ôl John Gwilym Jones yn *Sylfeini Beirniadaeth*, dyma 'Y ciwrad mwyaf peripatetig a welodd yr eglwys erioed hwyrach, a'r meddwaf hefyd'. Yn ôl Emyr Humphreys yn *The Taliesin Tradition*, 'Ei obsesiwn oedd darganfod a chopïo unrhyw lawysgrifau hynafol a allai fod â rhywbeth i'w wneud â hanes a llenyddiaeth y Cymry. Ei wendid oedd y ddiod gadarn.' A Dr Samuel Johnson, neb llai, yn bodloni ar 'a drunken Welsh curate'.

Ond, wedyn, dyma John Gwilym Jones unwaith eto yn crynhoi ei rinweddau: '... bardd, cyfieithydd, hynafiaethwr, copïwr llawysgrifau, dadleuwr cadarn cignoeth, beirniad llenyddol llygadog, casäwr Sais ac Esgyb-Eingl, ysgolhaig yn y clasuron...' Gwendid Cymru oedd gwendid Ieuan Brydydd Hir; gyda chefnogaeth ariannol a sefydliadau i'w gynnal, fe fyddai wedi gallu ymroi'n llwyr i'w waith mawr a chadw'n llawer mwy sobr. Mae'n rhyfeddod iddo wneud cymaint.

Yn fferm fach Cynhawdref yn Lledrod y dechreuodd ac y diweddodd bywyd Evan Evans, yn dlawd yn y dechrau, yn dlotach ar y diwedd. Ond roedd yn lwcus yn ei ardal; roedd ysgol Edward Richard yn hyfforddi pobl ifanc yn y Clasuron yn Ystradmeurig gerllaw ac roedd Lewis Morris, un o gyfeillion mwyaf llên Cymru, erbyn hynny yn byw yn stad Penbryn ger Goginan, ychydig filltiroedd tua'r gogledd. Roedd y ddau, Edward a Lewis, wedi gweld disgleirdeb y bachgen bach yn gynnar ac, am flynyddoedd, Lewis Morris oedd ei brif gefnogwr.

Efallai mai trwy Lewis Morris y cafodd le yn gwasanaethu mewn tŷ bonedd – mae Aneirin Lewis mewn ysgrif amdano'n amau efallai mai Corsygedol, Meirionnydd, oedd y tŷ hwnnw, cartref yr Aelod Seneddol, William Vaughan. Os felly, fe fyddai wedi dod ar draws llawysgrifau hynafol yno a William Vaughan oedd Prif Lywydd cyntaf Cymdeithas y Cymmrodorion a sefydlwyd yn 1751. Mae'n bosib fod copïo llawysgrifau yn un o ddyletswyddau Ieuan.

Erbyn 1750, roedd Evan Evans yn fyfyriwr yng Ngholeg Merton, Rhydychen, yn dechrau barddoni ac yn cael cyfle i weld Llyfr Coch Hergest, un o'r llawysgrifau Cymraeg pwysicaf, yng Ngholeg yr Iesu gerllaw. Roedd wedi ennill ysgoloriaeth i'w gynnal ei hun yn y coleg ond fe adawodd erbyn 1754 heb radd. Dyna'r adeg y dywedodd Lewis Morris amdano: 'Mae Ieuan yn feddwa, ofera, ffola, gwagca dyn dan haul'. Flwyddyn yn ddiweddarach, fe ddywedodd fod Ieuan wedi ei fwyta'n fyw gan falchder, gan anghofio'n llwyr o ble'r oedd wedi dod. Doedd o'n ddim ond prydydd, meddai Lewis, yn benthyg arian gan bawb heb 'dalu byth'.

Ac eto, yn 1755, ac yntau erbyn hynny yn gurad ym Manafon yn Sir Drefaldwyn ac yn ennill £20 y flwyddyn, roedd Ieuan Fardd ar fin dechrau ar ei waith mawr. Deiliad gofalaeth Manafon oedd William Wynn, rheithor Llangynhafal yn Sir Ddinbych; perchennog hefyd ar nifer o lawysgrifau ac fe gafodd Ieuan gyfle i'w hastudio. Roedd gan y bardd arwr newydd; yn ôl un disgrifiad, roedd Ieuan yn siarad am William Wynn 'fel y Cardinal am y Pab'.

Yn 1755 hefyd yr oedd Cymdeithas y Cymmrodorion wedi cyhoeddi ei maniffesto (ei Gosodedigaethau) gyda'r nod o ddyrchafu'r Gymraeg a'i diwylliant. Roedd Lewis Morris, yn ei dro, wedi anfon rhyw fath o faniffesto at Ieuan Fardd, deg gorchymyn yn nodi sut y dylai ymddwyn a delio â llawysgrifau – defnyddio cywydd neu englyn i ofyn am fenthyca llawysgrif, er enghraifft, a gadael bylchau os nad oedd yn sicr o'r union eiriau. (Roedd hynny'n wahanol iawn i arfer rhai o'i gyfoedion.) Trwy gydol ei gyfnod yn Rhydychen, roedd Lewis Morris wedi ei annog i gymryd diddordeb mewn llenyddiaeth Gymraeg yn ogystal â'r Clasuron.

Trwy William Morris, brawd Lewis, y daeth Ieuan ar draws copi o Lawysgrif Hendregadredd, gyda cherddi beirdd o gyfnod y Tywysogion, cyn concwest Edward I. I Ieuan, roedd barddoniaeth y cyfnod hwnnw'n cynnwys deunydd i'w gymharu â gwaith Homer a Virgil. Roedd gwybodaeth rhai fel Ieuan Fardd ac Edward Richard o'r Clasuron yn rhyfeddol, yn ddigon da i Ieuan feirniadu'r bardd mawr Saesneg, Alexander Pope, am gyfieithu gwael o'r Roeg ac i drafod tafodiaith leol yn un o weithiau Theocritus. Ond tra bodlonodd Edward Richard ar hynny, fe ddaeth Ieuan Fardd yn arbenigwr mwy ar lenyddiaeth ei bobl ei hun.

Di-drefn oedd ei yrfa broffesiynol. Ar ôl cyfnod byr yn gurad yng Nghaint yn 1756, fe fu'n gaplan yn y llynges am dri mis (cyn mynd yn sâl) ac am dri mis fe fu yn Rhydychen yn astudio Llyfr Coch Hergest. Wedyn profodd res o guradaethau byrhoedlog yng Nghymru. O ran ei ysgolheictod, ei gyfnod o fwy na phedair blynedd yn Llanfair Talhaearn, Sir Ddinbych oedd fwyaf cynhyrchiol, gyda'r cyfle i weld llawysgrifau gwerthfawr ym mhlastai cyfagos Gloddaith a Llannerch. Nid ei fod yn hapus yn Llanfair T H na gyda'r Eglwys – yno y sgrifennodd ymosodiad deifiol arni hi a'i harfer o osod esgobion Saesneg (yr Esgyb-Eingl) yng Nghymru. Trwy glerigwyr Saesneg, meddai, roedd yr Eglwys yn amddifadu hanner ei phobl o foddion gras (ac fe allai fod wedi ychwanegu, yn rhwystro ambell gurad disglair rhag cael bywoliaeth werth chweil). Ar hynny yn rhannol, meddai, yr oedd y bai am lwyddiant 'enthusiasts' – y Methodistiaid newydd, siŵr o fod.

Eto, yn 1764, tra oedd yn Llanfair Talhaearn y cyhoeddodd

y gyfrol bwysig a ddaeth ag ef i sylw beirdd a llenorion Saesneg fel Thomas Gray a'r Esgob Thomas Percy. Honno oedd *Some Specimens of the Poetry of the Antient Welsh Bards*, cyfrol mewn tair rhan, yn cynnwys cyfieithiadau i ryddiaith Saesneg o ddeg enghraifft o farddoniaeth gynnar, wedyn cyfieithiadau Lladin a thrafodaeth amdanyn nhw ac, yn olaf, y cerddi Cymraeg gwreiddiol ac anerchiad 'At y Cymry'. 'Cyfrol arloesol o bwysigrwydd diamheuol,' meddai Alun R Jones, bywgraffydd Lewis Morris. Hi oedd 'y detholiad helaeth cyntaf o farddoniaeth gynnar Gymraeg' ynghyd ag amlinelliad o'i hanes.

Yn 1765 y bu farw Lewis Morris gan olygu, meddai Ieuan, nad oedd yr un 'anogwr' arall ar ôl i'w astudiaethau, na 'fawr ddim' beirniaid cymwys o'i waith. I Lewis yr oedd wedi datgelu un o'i ddarganfyddiadau mawr, cerddi'r 'Gododdin', am y frwydr drychinebus yng Nghatraeth. Yn ôl Lewis, doedd neb wedi breuddwydio am y fath ryfeddod – darganfyddiad oedd yn cymharu â Columbus yn cyrraedd America. Gyda marwolaeth ei ysbrydolwr, Ieuan Fardd oedd yr arbenigwr pennaf yn fyw ar lenyddiaeth hynafol Cymru.

Fe ddilynodd blynyddoedd eto o guradaethau byr, a phedwar diwrnod rhyfedd yn y fyddin (cyn cael ei anfon adref am ei fod yn offeiriad wedi'i ordeinio ac am fod yn 'disordered in his mind' – dyfarniad Sais di-ddeall siŵr o fod). Yng ngogledd Cymru yr oedd y rhan fwyaf o'r curadaethau ac, o ganlyniad, fe ddaeth i sylw un o'r tirfeddianwyr a'r noddwyr llên mawr, Syr Watkin Williams Wynn, a chael ei nawdd am tua saith mlynedd (cyn ei ddigio, fwy na thebyg am dreulio chwe mis yn astudio Hebraeg ac Arabeg yn yr Academi Bresbyteraidd yng Nghaerfyrddin yn hytrach na dal ati gyda'r llawysgrifau).

Am ddeng mlynedd wedyn, fe fu Ieuan yn crwydro Cymru,

yn fardd a sgolor teithiol, yn dibynnu ar eraill am gardod ac, weithiau, yn byw gyda'i fam oedrannus yn Lledrod. Ond fe gafodd guradaeth fer iawn arall ym Masaleg yng Ngwent ac yno, mae'n debyg, y sgrifennodd ei gerdd enwocaf, cyfres o englynion am hen blasty Gwernyclepa: 'Llys Ifor Hael, gwael yw'r gwedd, Yn garnedd mewn gwerni mae'n gorwedd...'

Fe fyddwn i wedi talu'n ddrud am fod yno, rhyw dro tua 1780, pan aeth Ieuan Fardd a'i ffrind newydd, y bardd, yr hynafiaethydd a'r dyfeisiwr hanesyddol, Iolo Morganwg, i Lys Ifor Hael, gweddillion cartref noddwr mawr Dafydd ap Gwilym. Yn ôl John Gwilym Jones, er mai efelychwr gwan oedd Ieuan fel rheol, roedd yr englynion yn farddoniaeth go iawn, yn cyfuno disgrifiad o'r adfeilion materol a hiraeth am oes aur barddoniaeth Gymraeg.

Cyn bo hir, fe fyddai Iolo Morganwg wedi ychwanegu at gynnyrch yr oes aur drwy ffugio cywyddau newydd yn enw Dafydd ap Gwilym. Ar ôl marwolaeth Ieuan Fardd yr oedd hynny. Does gan Emyr Humphreys fawr o amheuaeth y byddai gwybodaeth a chraffter Ieuan wedi rhwystro'r ffugiwr mawr. Roedd eisoes wedi gwrthod ffugiadau James Macpherson o gerddi 'Ossian' yn yr Alban, er bod y rheiny wedi creu cynnwrf anferth ymhlith y Saeson mwy diniwed.

Yn ôl yn Lledrod y bu farw Ieuan yn 1788, pan ddaeth ei fam o hyd iddo yn gorff oer ar lawr Cynhawdref. Er ei bod hi ymhell tros ei phedwar ugain, roedd wedi bod yn brysur yn y caeau yn cywain gwair. Yn ystod ei flynyddoedd olaf, mae'n debygol fod Ieuan wedi cael rhywfaint o lwfans blynyddol am drosglwyddo'i gopïau o'i lawysgrifau i hynafiaethydd cefnog ym Mhlas Gwyn, Pentraeth, Ynys Môn, Paul Panton. Dair blynedd ar ddeg yn ddiweddarach, cafodd gwaith Ieuan Fardd ei ddefnyddio'n helaeth yn

The Myvyrian Archaiology, y gyfrol bwysicaf hyd hynny o gynnwys y llawysgrifau Cymraeg. Chafodd Ieuan ddim o'r clod.

Ar lawer ystyr, roedd gyrfa Ieuan Fardd yn ddrych o gyflwr dysg yn y byd Cymraeg yn ei gyfnod, wrth i'r uchelwyr a'r Eglwys droi cefn ar eu gwreiddiau. Ond fe wnaeth ef fwy na neb bryd hynny i newid pethau a dechrau'r broses a roddodd barch o'r newydd i'r traddodiad a'i gydnabod ar lefel Ewropeaidd. Wrth gyflwyno cyfrol o lythyrau Ieuan a'r Esgob Percy, doedd gan yr ysgolhaig Aneirin Lewis ddim amheuaeth: 'Anlwc trasig ei yrfa oedd ei fod wedi methu â sicrhau safle i weddu â'i duedd ysgolheigaidd ac i ddod o hyd i'r gefnogaeth ariannol angenrheidiol ar gyfer ei gynlluniau.'

Ieuan Fardd, meddai, oedd ysgolhaig Cymraeg mwyaf ei oes. Fe gafodd ei ddilyn gan Gardis ysgolheigaidd eraill, fel Syr John Rhŷs, J Gwenogvryn Evans, G J Williams a Hywel Teifi Edwards. Ond Ieuan Fardd oedd y cyntaf.

Gwlad y llaeth a'r coed – gwaddol Anne Goch

Anne Evans, 1732–1807

Bob mis Mai, fe fydd rhai o wrychoedd ardal Llanybydder a Llanwenog yn wyn o flodau'r drain, yn batrwm hyd y llethrau. Uwchben dolydd afon Teifi, mae yna ambell glwstwr o goed urddasol, rhai brodorol a bythwyrdd. Maen nhw yn ein hatgoffa ni am effaith un wraig gyfoethog, nodedig, ar y tir o'i chwmpas.

Am 20 mlynedd, Anne Evans, neu Anne Goch ar lafar gwlad, oedd yn gyfrifol am un o stadau pwysig y sir, stad Dolau Mawr, neu Highmead. Roedd hynny yn yr union gyfnod pan oedd tirfeddianwyr eraill fel Thomas Johnes, Hafod Uchdryd, Cwmystwyth, neu deulu Lewes, Llanerchaeron, yn ceisio gwella cyflwr y ddaear ac amaethyddiaeth y sir. Ond, yn ôl y teithiwr Samuel Meyrick, roedd Anne Goch yn gwybod llawer mwy am amaethyddiaeth na'r un o'r dynion ac roedd yn fwy llwyddiannus wrthi.

Mae ei dyddiadur yn y Llyfrgell Genedlaethol; cyfrol drwchus wedi'i llenwi i'r ymylon â nodiadau a chofnodion manwl o reolaeth y stad – yn fferm, llaethdy, gerddi a choetiroedd – o tua 1778 hyd at ei marwolaeth hi tua 75 oed yn 1807. Yn ôl un o'r bobl gyntaf i astudio'r gyfrol, B G Charles, mae'n gofnod anarferol, unigryw efallai, o weithgareddau amaethyddol y cyfnod hwnnw yng Nghymru.

Does yna fawr o gofnod am gefndir Anne Goch, heblaw ei bod yn ferch i ficer yng ngogledd Sir Benfro a hwnnw'n byw ym mhlasty Penybenglog, ym mhlwyf Meline. Tua 1732 y cafodd ei geni, ddwy flynedd cyn ei brawd, Watkin Lewes, a ddaeth yn enwog yn ei ddydd – yr ail Gymro i fod yn Faer Llundain ac Aelod Seneddol yn y ddinas hefyd. Y broblem oedd fod ei ymdrechion gwleidyddol wedi gwagio'r coffrau ac fe fu farw lle'r oedd yn byw yn 1814, mewn tŷ coffi ar dir carchar dyledwyr y Fleet. Roedd ei chwaer yn fwy gofalus.

Fe ddaeth Anne Lewes yn Gardi ar ôl priodi Herbert Evans, Llanwenog, yn 1759. Roedd gan hwnnw stad gwerth £1,000 y flwyddyn o renti (mwy na £200,000 erbyn heddiw) ond, yn ôl un cofnod, fe ddaeth Anne â llawer o gyfoeth i'r bartneriaeth hefyd. Dydi hi ddim yn glir ai cyfoeth ariannol oedd hwnnw, neu gyfoeth o ran gallu. Y ddau beth fwy na thebyg.

Prin iawn ydi'r wybodaeth am hanes bywydau menywod 'cyffredin' yng Ngheredigion na gweddill Cymru tan tua'r ddwy ganrif ddiwethaf; does yna fawr mwy o fanylion am fywydau'r merched bonedd chwaith. Fel rheol, fe fydd cofnodion amdanyn nhw yn dod yn sgil eu tadau ac wedyn eu gwŷr. Hyd at Ddeddf Eiddo Menywod 1884, roedd cyfoeth gwraig yn mynd yn eiddo i'w gŵr a hynny'n aml yn allweddol wrth i dirfeddianwyr ychwanegu mwy a mwy at eu cyfoeth. Yn ôl yr hanesydd Gerald Morgan, ewyllysiau ydi rhai o'r ychydig ddogfennau sy'n cynnwys gwybodaeth am fenywod. Trwy un o'r rheiny y dangosodd, er enghraifft, fod Dyddgu ferch Dafydd o Langrannog, a fu farw yn 1630, wedi benthyg arian i lawer o'i chymdogion a phobl ei hardal, ei bod yn fath o fancer answyddogol i'w chylch. Dyna un awgrym bach o allu menywod pan oedden nhw'n cael y cyfle a, rhwng y llinellau, mae'n amlwg eu bod nhw'n aml yn ddoethach na'r dynion.

Er bod y dyddiadur yn dangos yn glir ei bod hi'n gyfrifol am lawer o'r gwaith cyn hynny, fe ddaeth cyfle go iawn Anne Evans pan fu farw ei gŵr yn 43 oed yn 1787, union ddeng mlynedd ar ôl iddyn nhw adeiladu'r plas – 'y Tŷ Newydd' neu'r Dolau Mawr. (Yn ddryslyd iawn, yr enw ar lafar yn lleol oedd Dolau Bach, ar ôl yr hen blasty llai a oedd yno cyn y tŷ newydd. Bellach 'Highmead' ydi'r enw gan bawb, fwy neu lai, ac, ar ôl cyfnod yn ysgol arbennig ac wedyn yn ganolfan Islamaidd, mae'n segur ac yn wag.)

Rhan o'r prosiect, yn unol â ffasiwn y cyfnod, oedd datblygu'r tir o gwmpas y plasty newydd ac mae'n ymddangos mai Anne, o'r dechrau, oedd yn gyfrifol am hynny. Yn 1778, mae'n sôn am blannu 'cymaint o dderw ag yr oedd modd eu cael' o amgylch y 'Tŷ Newydd' ac wedyn am blannu miloedd yn rhagor cyn diwedd mis Chwefror 1779.

Erbyn 1804, roedd y teithiwr, Richard Fenton o Dyddewi, yn gallu sôn am gael 'bisged' a gwydraid o win gydag Anne Evans cyn teithio am Lanbed 'trwy ei phlanhigfa brydferth'. Wedi 1787, roedd y stad gyfan yn ei dwylo hi ac mae'n ymddangos ei bod wedi cymryd cyfrifoldeb uniongyrchol am bopeth, o'r gerddi a'r coedwigo i reoli'r stad a'r rhenti ac, yn arbennig, y busnes llaeth.

Roedd rhodfeydd coed a phlanigfeydd wedi bod yn boblogaidd ymhlith teuluoedd bonedd gwledydd Prydain ers yr unfed ganrif ar bymtheg a dylanwad y cynllunydd gerddi, Capability Brown, yng nghanol y ddeunawfed ganrif, wedi rhoi hwb pellach i'r arfer. Roedd yna ddiddordeb mewn tyfu coed ar gyfer defnydd ymarferol hefyd. Ar y llethrau o amgylch Cwmystwyth, roedd Thomas Johnes yr Hafod yn cael ei ystyried yn un o arloeswyr pennaf coedwigaeth y tir uchel, gan fod yn gyfrifol am blannu miliynau o goed a llawer o'r rheiny yn goed bythwyrdd. Er gwaethaf yr holl newidiadau, mae ôl y tirfeddianwyr yma ar Geredigion o hyd.

Erbyn oes Anne Goch, roedd tiroedd y rhan fwyaf o dde Sir Aberteifi – yn wahanol i'r gogledd – wedi eu cau, yn stadau a chaeau. Mae adroddiad yn 1794 yn cadarnhau hynny. Ond, yn ei chofnodion plannu hithau, mae modd gweld bod rhagor o gaeau'n cael eu cau o hyd; dyna pryd yr oedd y drain gwynion yn cael eu plannu'n wrychoedd. Y gred oedd fod cau tiroedd yn golygu gwell ffermio. Roedd yr un adroddiad amaethyddol wedi disgrifio cyflwr gwael amaethyddiaeth y sir, gan gynnwys yr offer a'r adeiladau. Roedd yn arbennig o hallt am amodau byw gweision ffermydd. Ynghanol y rhyfeloedd â Ffrainc, yng nghyfnod Anne yn y Dolau Mawr, roedd mwy o bwysau nag erioed ar gael ffermydd cynhyrchiol ac amrywiaeth o fwyd.

Mae'n ymddangos bod Anne Goch wedi gwneud ei rhan. Yr hyn sy'n hynod am ei dyddiadur ydi ei hagwedd fodern at y busnes. Mae'n cofnodi'n fanwl beth sy'n cael ei blannu ymhle ac yn cymryd diddordeb neilltuol yn y llaethdy a'r busnes magu gwartheg oedd y tu cefn i hwnnw.

Bob blwyddyn, mae yna restr fanwl o'r gwartheg – faint oedd yn godro, beth oedd eu hoed, faint o loi – ac, o dro i dro, ystadegau manwl am eu cynnyrch, yn llaeth, menyn a chaws. Yn 1795, er enghraifft, roedd yna gyfanswm o 76 o wartheg, lloi ac ychen ac 20 ceffyl, o geffylau gwedd i geffylau tynnu 'chaise' ac ebolion. Tros y blynyddoedd, roedd yna gyfartaledd o tuag 16 o wartheg yn godro ar fferm y stad. Yn 1797, pan oedd tenantiaid yn cwyno am brinder porfa, mae Anne yn ystyried yn ofalus faint o wartheg oedd yn pori'r gwahanol gaeau.

Roedd Anne Evans hefyd yn cymryd diddordeb yn y

prosesau cynhyrchu. Mae'n amlwg ei bod weithiau yn codi gyda'r morwynion ac yn eu gwylio'n ofalus wrth eu gwaith, nid er mwyn cadw llygad yn unig ond er mwyn deall yn union beth oedden nhw'n ei wneud. Mae'n ymddangos bod un forwyn, Mary Richard, yn gwbl gyfrifol am y llaethdy yn yr 'Hen Dŷ' a hyd yn oed, ar un adeg, yn cael cyfran o'r elw. A hwythau'n corddi ddwywaith yr wythnos, caws a menyn oedd y prif gynhyrchion, yn hytrach na llaeth i'w yfed.

Roedd angen cyflenwad mawr o fenyn a chaws ar gyfer y tylwyth, yr hanner dwsin da o weision a morwynion a'r ymwelwyr. (Un Nadolig, mae Anne yn amlwg yn poeni bod ei hymwelwyr, gan gynnwys teuluoedd tair o'i merched priod, wedi bwyta gormod o 'fenyn gaeaf', menyn a oedd wedi ei halltu a'i gadw'n hir. Un rheswm yn amlwg oedd eu bod yn cael *crumpets* i frecwast a bod un ymwelydd wedi aros am 12 niwrnod.) Amcangyfri' B G Charles yw fod y tylwyth ei hunan yn defnyddio tua saith casgen o fenyn bob blwyddyn ac 800 pwys o gaws, y rheiny'n gosynnau anferth, cymaint â 74 pwys weithiau, ac yn cael eu cadw am flwyddyn cyn eu torri.

Roedd meistres Highmead yn ystyried yn ofalus beth fyddai effaith gwahanol gnydau ar flas y llaeth (roedd maip yn broblem fawr) ac effaith y tywydd ar gnydau. Byddai unrhyw laeth a chaws dros ben yn cael ei werthu i fasnachwyr lleol yng Nghaerfyrddin, i deuluoedd lleol neu mewn ffeiriau, fel ffair Llanybydder. Mae ambell gofnod yn dangos bod menyn yn mynd cyn belled â Llundain a Chaerfaddon. Byddai'r tywydd, wrth gwrs, yn effeithio ar lefelau cynnyrch ond yr argraff o'r cofnodion ydi fod yna gynnydd cyson. Casgliad B G Charles ydi fod cadw gwartheg godro yn y cyfnod hwnnw'n fusnes digon proffidiol.

Y gerddi oedd diddordeb mawr arall Anne Goch ac mae ei chofnodion ynghylch hynny yr un mor drylwyr ac yn dangos yr un diddordeb yn y manylion – effaith rhew ar ambell lysieuyn, amheuaeth fod David, y garddwr, yn cadw blodfresych yn rhy hir dan wydr a chostau hadau a chyflogau. Yr argraff ydi mai rhai o denantiaid y stad oedd yn gwneud llawer o'r gwaith garddio; mae yna sôn am ddwy o'r menywod yn dod i chwynnu ac am 'David Warallt' yn gwneud mwy erbyn 12 Tachwedd 1779 na'r un garddwr o'i flaen, gan dyfu cnydau mwy cynhyrchiol hefyd.

Er gwaethaf y pwyslais wrth blannu coed ar harddu'r tir o amgylch tŷ newydd Highmead, mae'n amlwg mai tyfu llysiau i'w bwyta oedd prif ddiddordeb Anne Evans yn yr ardd. Ochr yn ochr â llysiau mwy ecsotig, fel 'hartichokes', roedd yna lysiau cyffredin hefyd, yn datws a moron a ffa. Trwy'r cyfan, mae yna ddarlun da o amrywiaeth bwyd teuluoedd bonedd hyd yn oed yn y cyfnod hwnnw.

Yn 1810 y sgrifennodd Samuel Rush Meyrick am Anne Evans yn ei *History and Antiquities of the County of Cardigan*. Erbyn hynny, roedd hi wedi marw ers tair blynedd ond roedd y cof amdani'n parhau: 'er mai menyw oedd hi, roedd ei gwybodaeth a'i harferion amaethyddol yn llawer gwell na'r un gwryw yn y sir'. Bellach, mae ei dyddiadur yn ffynhonnell werthfawr am ffermio yng Ngheredigion mewn cyfnod a newidiodd olwg y sir am byth.

Y lliw yn y dŵr

Dafydd Dafis, Castellhywel, 1745–1827

UN O STRAEON arwrol y frwydr am ryddid gwleidyddol yng Nghymru ydi hanes y Troad Allan yn Llwynrhydowen yn 1876. Mae'r hen gapel, lle digwyddodd y cyfan, bellach wedi ei adfer a'i gymhennu. Mae wedi'i warchod oherwydd gwerth yr adeilad ei hun ac oherwydd ei gysylltiadau hanesyddol. Mae'n nodweddiadol o gapeli gwerinol syml yng nghefn gwlad Ceredigion, gyda'i ddau ddrws yn y wal flaen o boptu'r pulpud, sy'n agos at y bobl.

Dialedd oedd yn gyfrifol am y troi allan, pan gafodd drysau'r capel a gatiau'r fynwent eu cloi i gadw'r gynulleidfa draw. Roedd perchennog y tir, sgweier Plas Alltyrodyn gerllaw, yn flin am fod y Rhyddfrydwyr wedi ennill sedd Sir Aberteifi yn Etholiad 1868 ac yn cyhuddo gweinidog Llwynrhydowen, Gwilym Marles Thomas, o droi ei denantiaid yn erbyn y Ceidwadwyr trwy ei bregethu radical.

Nid damwain oedd hi mai yno y digwyddodd yr helynt. Roedd y stori wedi dechrau union 150 mlynedd ynghynt, yn 1726, pan ddaeth Llwynrhydowen yn gapel Arminaidd cyntaf Cymru... yr Arminiaid oedd un o'r sectau a arweiniodd yn y pen draw at Undodiaeth, at y gred mai dyn meidrol oedd Iesu Grist ac mai dim ond un person oedd Duw, heb na Mab nac Ysbryd Glân. Un o'r elfennau pwysig i'r Arminiaid a'r Undodiaid fel ei gilydd oedd bod gan ddyn ryddid i ddewis a bod gan bawb y potensial i gael eu hachub, nid dim ond criw bach 'etholedig'.

Roedd hynny'n rhan o symudiad gwleidyddol yn ogystal â chrefyddol; roedd rhyddid crefyddol yn mynd law yn llaw â rhyddid cydwybod gwleidyddol, ac fe fyddai'r erlid ar denantiaid a ddigwyddodd yn sgil Etholiad 1868 yn y rhan hon o Geredigion a gogledd Sir Gaerfyrddin yn elfen bwysig yn yr ymgyrch am y bleidlais gudd. Hyd at 1813, roedd addoliad Undodaidd yn swyddogol yn anghyfreithlon ac roedd y ffyrdd newydd, radical, o feddwl yn cael eu gweld yn fygythiad i drefn a sefydlogrwydd. Undodiaid a fudodd o Geredigion oedd yn rhannol gyfrifol am danio Gwrthryfel Merthyr yn 1831.

Am fwy na 40 mlynedd, gweinidog Llwynrhydowen oedd Dafydd Dafis, Castellhywel – David Davis yn ôl ei enw'n swyddogol – ac, er ei fod wedi hen farw erbyn y Troad Allan, fel lliw mewn dŵr, roedd ei ddylanwad yn drwm ar grefydd a gwleidyddiaeth yr ardal. Roedd ei ysgol – 'Athen Ceredigion' – wedi cynhyrchu cenhedlaeth o offeiriaid a gweinidogion eang eu meddyliau a rhyddfrydol eu barn.

Roedd yn glamp o ddyn – 'dyn mawr tew' yn ôl disgrifiad di-flewyn-ar-dafod y gyfrol *Hanes Plwyf Llandysul* – a'i ddillad yn hongian yn llac amdano. 'Llaes-grogi' yr oedd ei wallt melynwyn o amgylch ei ben a'i ysgwyddau hefyd. A phetaech chi wedi digwydd landio yng Nghapel Llwynrhydowen tua 1790, dywedwch, ac yntau'n pregethu, fe fyddech wedi sylwi ar unwaith nad oedd ei lais 'yn beraidd'. Wrth deimlo nerth yr hyn yr oedd yn ei ddweud, fe fyddai'r dagrau'n pistyllio a'i lais yn codi'n gyson nes bod 'yn wich anhyfryd'.

Er gwaethaf hynny i gyd, roedd y llygaid yn cyfleu tymer 'gariadus, serchog a diniwed' ac, yn ôl disgrifiad mwy caredig ei gofiannydd, T Griffiths (Tau Gimel), roedd 'o ran ei gorff yn hardd a lluniaidd' os ychydig yn flêr o ran ei ddillad. Fel y dywedodd ei hun unwaith, ar ôl cael ei weld yn cysgodi rhag y glaw dan fwndel o wellt: 'Y mae to o wellt yn burion i dŷ o bridd.' Cariad Duw oedd hoff bwnc ei bregethau a'r Mab Afradlon oedd ei hoff ddameg.

Bras ydi'r manylion am ei fywyd cynnar – ei eni ym mhlwyf Betws Bledrws, ger Llanbed, yn 1745, i deulu crefyddol... cael addysg yn lleol ac wedyn wrth draed tri o athrawon adnabyddus Dyffryn Teifi... mynd i'r ysgol ramadeg oedd ynghlwm wrth Athrofa'r Presbyteriaid yng Nghaerfyrddin... o fewn tymor, mynd i'r Athrofa ei hun. Er gwaethaf ei henw Presbyteraidd, fe fu honno'n fagwrfa i weinidogion o sawl enwad, gan gynnwys yr Undodiaid, ac roedd ganddi'r enw am gynnig addysg ryddfrydol. 'Hoff ddysgedig nyth' oedd hi i Dafydd Dafis.

Mae peth gwybodaeth am ei ieuenctid mewn cerdd hunangofiannol a sgrifennodd pan oedd yn wael yn ei wely yn 1778. (Fe fyddai'n cael sawl pwl o waeledd drwg ac iselder cyn diwedd ei oes yn 1827 ac mae yna fwy nag un esiampl ohono'n sgrifennu amdano'i hun fel un oedd ar fin marw.) Yn y gerdd hir honno, mae'n tystio ei fod wedi cael profiad crefyddol pan oedd mor ifanc â naw oed a hynny ar y banc gartref 'rhwng y defaid a'r da duon'. Mae yna awgrym hefyd ei fod wedi crwydro oddi ar y llwybr cul am ychydig yng Nghaerfyrddin dan ddylanwad 'difyrrwch gwag a dull y dre'. Ond dylanwad arall arno oedd Prifathro'r coleg yng Nghaerfyrddin, dyn o'r enw Joseph Jenkins a oedd yn arddel syniadau Undodaidd.

Erbyn 1769, roedd Dafis wedi gwrthod galwad gwerth £100 y flwyddyn yn Sir Gaerfyrddin er mwyn cael llai na thraean hynny yn gyd-weinidog ar Lwynrhydowen. Roedd yr ofalaeth yn cynnwys capeli Alltyblaca, Ciliau

Aeron, Mydroilyn a Phenrhiw (y capel bach sydd bellach yn yr Amgueddfa Werin yn Sain Ffagan). Ynghyd â Llwynrhydowen, fe fyddai tri o'r rheiny'n dod yn gapeli Undodaidd yn y pen draw ac yn rhan o'r 'Smotyn Du', yr ardal ddi-Fethodist yng nghanol Ceredigion.

Ar y pryd, doedd enwad yr Undodiaid ddim wedi'i ffurfio ond roedd pregethwyr fel Dafydd Dafis ymhell ar y llwybr i'r cyfeiriad hwnnw. Mae yna dderwen gerllaw Llwynrhydowen sy'n dal i gael ei galw yn Dderwen Dafis Castellhywel oherwydd mai odani hi y cafodd ei ordeinio yn 1773, yng nghwmni pymtheg a mwy o weinidogion gyda daliadau tebyg. Roedden nhw'n rhan o'r symudiad mawr oddi wrth yr hen drefn unffurf – yn wleidyddol ac yn grefyddol – at ryddid cydwybod a meddwl.

Roedd yr ardal ar y pryd yn fyw gan syniadau newydd a rhai'n honni bod mwy o ddarllenwyr ymhlith poblogaeth canol Dyffryn Teifi nag yn unman arall yng Nghymru. Yn ôl yr ysgolhaig o Gellan, G J Williams, mae'n bosib 'nad oedd dosbarth o ddynion mwy goleuedig yng Nghymru yn y 18fed ganrif na'r gwladwyr a dyrrai i wrando ar Jenkin Jones a Dafydd Llwyd a Dafydd Dafis i hen gapel Llwynrhydowen'.

Ymhlith y rheiny, weithiau, byddai radicaliaid amlwg fel Iolo Morganwg a Tomos Glyn Cothi, a gafodd ei garcharu ar gamgyhuddiad o ganu caneuon yn dilorni'r brenin. Roedd Dafydd Dafis hefyd yn llythyru gyda rhai fel y dychanwr Jac Glan y Gors a'r radical mwyaf o'r cyfan, Richard Price, un o ysbrydolwyr y Chwyldro yn yr Unol Daleithiau. Roedd y cyfan yn pledio achos y Chwyldro Ffrengig a'r holl syniadau am ryddid oedd ynghlwm wrth hwnnw. Fe sgrifennodd Dafydd Dafis awdl gyfan yn clodfori'r chwyldro ac, yn ôl traddodiad, roedd y Prif Weinidog, William Pitt, wedi gorchymyn i un o'i ysbïwyr gadw llygad ar Dafydd Dafis.

Yn 1783, roedd ef a'i deulu wedi symud i'r ffermdy sylweddol a roddodd ei enw poblogaidd iddo. Ac yng Nghastellhywel, rhwng Talgarreg a Phontsiân, y sefydlodd yr ysgol a fyddai'n denu myfyrwyr o bob cornel o wledydd Prydain. Roedd yn feistr ar y Clasuron ac yn medru Groeg yn ddigon da i sgwrsio â chriw o forwyr o'r wlad honno a ddaeth i'r lan yn Aberystwyth ar ôl llongddrylliad. Ac fe sgrifennodd o leiaf un englyn Lladin.

Roedd ei lyfrgell yn cynnwys cyfrolau gan rai o Biwritaniaid amlwg Lloegr o'r ganrif gynt; fe sgrifennodd ambell gerdd Saesneg a chyfieithu amryw hefyd – cerddi gan William Cowper ac Alexander Pope, er enghraifft, a'r enwocaf o'r cyfan, 'Elegy Written in a Country Churchyard' gan Thomas Gray. Os gorganmol oedd honiad rhai fod fersiwn Cymraeg Dafydd Dafis yn well na'r gwreiddiol, roedd hi wedi ei sgrifennu ar fydr ysgafnach i apelio at drwch y bobl.

Roedd yn enwog am safon ei addysg ond hefyd am ei ddisgyblaeth, a doedd ei heddychaeth ddim yn ddigon cyflawn i'w atal rhag rhoi aml i fonclust. Pan ddaeth hi'n amser cyhoeddi casgliad o'i farddoniaeth, *Telyn Dewi*, yn 1824, roedd 111 o'i gyn-ddisgyblion wedi tanysgrifio iddo. Roedd canran uchel iawn ohonyn nhw erbyn hynny yn weinidogion eu hunain, mewn nifer o enwadau. Ymhlith ei ddisgyblion enwocaf roedd Cardi arall, y Bedyddiwr mawr, Christmas Evans, a oedd wedi mynd yn was i Gastellhywel a chael ei feithrin gan y meistr.

Wnaeth Dafydd Dafis erioed ddod yn Undodwr ei hun. O ganlyniad, yn 1802, fe giliodd rhai o'i gynulleidfa o Lwynrhydowen a sefydlu dau achos newydd, ym Mhren-gwyn a Llanwnnen, a'r rheiny'n dod yn gonglfeini cynnar i Gymdeithas Ddwyfundodaidd Deheudir Cymru fel y cafodd ei henwi gan Iolo Morganwg. Os yr athrylith hwnnw oedd wyneb cyhoeddus y mudiad newydd, y trefnydd allweddol oedd David Davis, Castell-nedd, mab Dafis ei hun. Yng nghyfrol farddoniaeth Dafis, *Telyn Dewi*, mae yna ddadl farddonol rhwng yr hen Gastellhywel a gweinidog o Fedyddiwr ac mae honno'n dangos yn glir ei fod yn gwrthod y syniad o Drindod – 'Myn y doeth mai un yw Duw' – ac roedd ei addysg yn ddigon radical i'r Esgob Burgess yn Nhyddewi wrthod ordeinio darpar ficeriaid a fu yn yr academi yng Nghastellhywel.

Nid gwrthryfelwr oedd Dafydd Dafis wrth reddf. Roedd ar delerau da gydag eglwyswyr a gweinidogion o enwadau eraill ac, yn ôl un dadansoddiad, nid syniadau gwreiddiol oedd ei gryfder ond trefnu a dysgu syniadau pobl eraill. Gosod sylfeini. Braenaru'r tir.

Trwy Gwilym Marles yn Llwynrhydowen yn 1876 i D Jacob Davies yn Alltyblaca yng nghanol yr ugeinfed ganrif a Cen Llwyd yng nghylch capeli Aeron Teifi ddwy ganrif ar ôl dyddiau Dafis, mae ei enynnau crefyddol o gwmpas Ceredigion o hyd.

Yr Aelod dros Gymru a Heddwch

Henry Richard AS, 1812–88

Os ydi tref Tregaron y tu allan i westy'r Talbot, mae hefyd o amgylch Henry Richard. Y cerflun o'r gwleidydd a'r Apostol Heddwch ydi'r peth agosaf sydd gan Geredigion at icon, gyda dyfnder ystyr y gair. Hyd yn oed yn ystod ei oes, roedd yn cynrychioli llawer mwy nag ef ei hun ac yn destun eilunaddoli; i raddau roedd yn ymgorfforiad cig a gwaed o agweddau gwleidyddol y cyfnod. Roedd ei enwogrwydd yn fwy na'i lwyddiant.

Y peth rhyfedd ydi ei fod yn cael ei fawrygu i'r fath raddau yn Nhregaron a Cheredigion er mai rhan fechan o'i fywyd a dreuliodd yn y naill a'r llall, ac er ei fod wedi gwrthod cyfle i fod yn Aelod Seneddol y sir. Ond fe gyfrannodd at newid ei gwleidyddiaeth hi ac, yn ôl ei gyfoeswyr a haneswyr diweddarach, ef oedd Cymro mwyaf dylanwadol ei ddydd. Mae llond llaw o ddigwyddiadau yn ei fywyd yn ddigon i esbonio pam.

Roedd wedi ennill y teitl Apostol Heddwch cyn dod yn Aelod Seneddol. Yn 1848, fe ddaeth yn Ysgrifennydd y Gymdeithas Heddwch yng ngwledydd Prydain – y cyntaf o gyfres o Gymry i ddal y swydd. Erbyn hynny, roedd yn 36 oed ac yn weinidog yn Llundain, ei gartref am weddill ei oes. Clywed Samuel Roberts, Llanbrynmair, un o arwyr yr Annibynwyr yng Nghymru, oedd wedi ei ysbrydoli i ymgyrchu tros heddwch ac wedi annog ei radicaliaeth wleidyddol hefyd.

Er mai at yr Annibynwyr yr aeth yntau'n weinidog, roedd o dras Methodistaidd uchel; ei hen dad-cu yn un o ddilynwyr Daniel Rowland y diwygiwr yn Llangeitho a'i dad, Ebenezer, yn un o ffigurau amlycaf yr enwad yn ne Cymru. Roedd ei ddau riant yn hanu o deuluoedd cyfforddus eu byd a chafodd Henry a'i frawd Edward addysg dda, yn Aberystwyth a Llangeitho.

Ei waith cyntaf oedd yn brentis dilledydd yng Nghaerfyrddin ac wedyn Aberystwyth, lle daeth yn athro ysgol Sul a phregethwr lleyg a phenderfynu troi at y weinidogaeth. Yn Llundain y cafodd ei hyfforddi; yng Nghapel Annibynwyr Malborough yn Llundain y bu'n weinidog am 15 mlynedd; yn Llundain y bu'n byw weddill ei oes, ond yng Nghymru yr oedd fwyaf enwog.

Erbyn 1850, roedd yn gweithio'n llawn amser i'r Gymdeithas Heddwch ac wedi dechrau creu enw iddo'i hun yng Nghymru ac yn rhyngwladol. Fe gyd-drefnodd gyfres o Gynadleddau Heddwch Rhyngwladol rhwng 1848 ac 1853 a hynny mewn cyfnod pan oedd Ewrop ynghanol cythrwfl mawr, gyda rhai o'r prif rymoedd yn ymladd yn Rhyfel y Crimea. Henry Richard oedd un o'r lleisiau cryfaf yn erbyn y rhyfel hwnnw; hyd yn oed cyn dechrau'r ymladd, roedd ef a'r Gymdeithas Heddwch wedi rhybuddio bod angen trafod i osgoi cyflafan – rhagflas o ddadleuon heddiw.

Yn 1857, roedd yn gwrthwynebu rhyfel ymerodrol Prydain yn Tsieina – un o'r Rhyfeloedd Opiwm. Er bod buddugoliaeth Prydain Fawr wedi arwain at agor y wlad i genhadon (fel Timothy Richard o Ffaldybrenin), doedd Henry Richard ddim yn credu y byddai'r Tsieineaid yn barotach i ddysgu'r Beibl am fod gwaed eu hynafiaid ar ei dudalennau. Mewn araith flynyddoedd wedyn, fe dynnodd sylw at yr holl fyddinoedd oedd yn Ewrop ac at eu cost: 'Tra'n treulio cymaint o amser, meddwl, dawn ac arian yn trefnu rhyfel, oni fyddai'n werth neilltuo ychydig o feddwl ymlaen llaw i drefnu heddwch?'

Ar hyd ei oes, un o'i brif ymgyrchoedd oedd tros 'gyflafareddu' – y syniad o gael systemau rhyngwladol i drafod gwrthdaro ac osgoi rhyfel. Un o uchafbwyntiau ei yrfa oedd llwyddo, yn 1873, i gael y syniad wedi ei gynnwys mewn cynnig seneddol. Er mai symbolaidd oedd hynny yn y diwedd, roedd yn arwydd o'i ddylanwad.

Hefyd, yn ystod ei waith rhyngwladol, fe ddaeth i gysylltiad â llenorion Ffrengig amlwg fel y bardd Alphonse Lamartine a'r nofelydd Victor Hugo ac, yn yr Eidal, â Giuseppe Garibaldi, arwr eu brwydr tros ryddid. Er bod ei waith heddwch wedi helpu i osod y seiliau ar gyfer cyrff fel Cynghrair y Cenhedloedd wedi'r Rhyfel Mawr, yng Nghymru ei hun y cafodd yr effaith fwyaf, yn y byd gwleidyddol.

Yn 1868 y daeth y trobwynt ym mywyd Henry Richard, yn yr Etholiad Cyffredinol mawr a newidiodd gyfeiriad gwleidyddiaeth Cymru. I raddau helaeth, ef oedd ffigwr amlycaf ymgyrch a enillodd seddi allweddol i do newydd o Ryddfrydwyr Cymreig radical, gan gyflymu'r broses o chwalu gafael yr hen dirfeddianwyr cefnog. Ei fuddugoliaeth ef, ym Merthyr Tudful ac Aberdâr, oedd y fwyaf trawiadol o'r cyfan.

Dair blynedd ynghynt, fe fu bron iddo sefyll yn ei hen sir ond, yn y diwedd, fe dynnodd yn ôl a'r diwydiannwr cyfoethog, David Davies, Llandinam, a safodd yn erbyn Pryse Gogerddan, un o'r hen do o Ryddfrydwyr cefnog. Yn ôl yr hanesydd Ieuan Gwynedd Jones, methiant Anghydffurfwyr

Sir Aberteifi i ddangos ysbryd annibynnol oedd gwir reswm Henry Richard dros gilio ac mewn 'hwyliau gwael' y gwnaeth hynny. Ond, wedyn, pan ehangodd y bleidlais yn 1867, gan arwain at sedd ychwanegol a miloedd o bleidleiswyr newydd yn etholaeth Merthyr ac Aberdâr, fe gafodd y Cardi wahoddiad i sefyll gan y Rhyddfrydwyr lleol.

Ddiwedd 1866, ac yntau'n 54 oed, roedd wedi priodi Matilda Augusta Farley, merch i fasnachwr gwin cyfoethog – roedd arian yn hanfodol i Aelod Seneddol digyflog yn y dyddiau hynny – ac fe ddaeth hi gydag ef i'r ymgyrch. Pan fyddai'r ddau'n teithio'r etholaeth mewn poni a thrap, fe fyddai'r bobl leol yn gollwng y ferlen yn rhydd a thynnu'r cerbyd eu hunain. Fe fyddai Henry Richard yn areithio i gynulleidfaoedd anferth: cannoedd mewn capeli a neuaddau, wedyn miloedd ar lethrau'r ddau gwm. Yn y nos, byddai golau ffaglau a'r cyfarfodydd yn gorffen gyda chân boblogaidd o'r enw 'Hen Wlad fy Nhadau' a gyfansoddwyd 12 mlynedd ynghynt.

Pan ddaeth ar frig y pôl, gan guro'r Rhyddfrydwr traddodiadol amlwg, H A Bruce, i'r trydydd lle, roedd ei fuddugoliaeth yn cael ei gweld yn arwydd o'r cwlwm agos rhwng y Blaid Ryddfrydol newydd a'r capeli Anghydffurfiol. Fe lwyddodd gyda chefnogaeth pwyllgor pwerus o Anghydffurfwyr a oedd yn defnyddio'r 81 capel lleol yn rhwydwaith ymgyrchu effeithiol. Roedd ei fuddugoliaeth, yn erbyn meistri diwydiannol cyfoethog, hefyd yn arwydd o rym newydd y gweithwyr. Yn ôl Ieuan Gwynedd Jones, roedd y cyfuniad o radicaliaeth, Anghydffurfiaeth a chenedlaetholdeb yn arwydd o wleidyddiaeth wahanol.

Barn bywgraffydd Henry Richard, Gwyn Griffiths, yw ei fod yn gallu bod yn fwy radical ei farn ym Merthyr ac Aberdâr nag a fyddai yng Ngheredigion. Ond roedd ei enw a'i ddylanwad yn bwysig yno hefyd, lle llwyddodd dyn busnes o Ryddfrydwr newydd, Matthew Richards, i gipio'r sedd. Rhyddfrydol fu hi wedyn am 98 o flynyddoedd.

Yn 1878, fe enillodd y Rhyddfrydwyr bob sedd ond dwy yng Nghymru. Fe gafwyd cyfarfod o 4,000 o bobl yn y Palas Grisial yn Llundain i ddathlu hynny, a Henry Richard yn areithio yn Gymraeg, iaith ei ymgyrch ym Merthyr ac Aberdâr.

Ar ôl cyrraedd Tŷ'r Cyffredin, fe enillodd Henry Richard deitl newydd, 'Yr Aelod dros Gymru'. Roedd ymhlith y cyntaf i sicrhau sylw ffurfiol i'w wlad yng ngweithgareddau'r senedd fodern (gan gynnwys cadeirio Pwyllgor Seneddol Cymreig) ac fe ymgyrchodd yn gyson ar byncìau Cymreig, o sicrhau tegwch i ysgolion an-Anglicanaidd i ddatgysylltu'r eglwys yng Nghymru oddi wrth Eglwys Loegr a'r wladwriaeth. Pe bai'r llywodraeth wedi dewis dilyn yr argymhellion y llwyddodd ef i'w cynnwys mewn adroddiad Comisiwn Addysg yn 1886, fe fyddai safle'r Gymraeg ac addysg Gymreig wedi bod yn wahanol iawn.

Er hynny, roedd dwy o'i ymgyrchoedd cyntaf yn ymwneud yn uniongyrchol ag Etholiad 1868 ac un ohonyn nhw yn arbennig o bwysig i Geredigion. Yno, ac yng ngogledd Sir Gaerfyrddin, roedd tenantiaid wedi eu troi allan o'u ffermydd am gefnogi'r ymgeiswyr Rhyddfrydol yn erbyn eu landlordiaid Toriaidd. Henry Richard oedd arweinydd seneddol yr ymgyrch i ddatgelu'r hyn oedd yn digwydd ac i godi arian i'w cefnogi.

Yr ail ymgyrch oedd honno i gael y Tugel, neu'r bleidlais gudd – roedd gormes 1868 yn bosib oherwydd fod rhaid i bawb bleidleisio'n agored gan ddangos eu hochr yn gyhoeddus. Erbyn yr etholiad nesaf, yn 1874, roedd Henry Richard wedi helpu i sicrhau'r Tugel, cam arall allweddol yng nghynnydd democratiaeth.

Y 'sgriw' oedd yr enw am wasgfa wleidyddol y tirfeddianwyr ar eu tenantiaid ac roedd y pwnc wedi codi ynghynt yng nghyfraniad mawr arall Henry Richard – cyfres o erthyglau yr oedd wedi eu sgrifennu yn 1866 ym mhapur y *Morning and Evening Star*. Yn y rheiny, fe geisiodd wrthweithio effaith Brad y Llyfrau Gleision (adroddiad y Comisiwn Addysg a greodd ddarlun difrïol o foesau a diwylliant y Gymru Gymraeg) a'r camddehongli cyson ar Gymru. 'I have tried to act as a sort of intepreter of Wales to England' oedd ei eiriau ei hun. Roedd anwybodaeth y Saeson am Gymru, meddai wedyn, yn arwain at gamddeall, rhagfarn ac, i raddau, at deimladau gwrthnysig rhwng y naill a'r llall: doedd gwerthfawrogi a chymhathu cenhedloedd eraill ddim yn un o gryfderau'r 'Anglo-Saxon race'.

Fe gafodd yr ysgrifau eu cyhoeddi'n llyfr, *Letters and Essays on Wales*, yn 1884. Yn ôl Gwyn Griffiths, dyna'r 'gwaith pwysicaf a mwyaf dylanwadol a gyhoeddwyd am Gymru yn ystod y ganrif gyfan' ac, yn ôl Ieuan Gwynedd Jones hefyd, dyma 'un o'r llyfrau pwysicaf am Gymru' yn ei gyfnod. Ond nid ar y Saeson yr oedd y dylanwad mwyaf, meddai; yn hytrach, camp fwyaf Henry Richard oedd argyhoeddi'r Cymry o'u cenedligrwydd a'u gwerth eu hunain.

Yn yr ysgrifau hynny, roedd yr 'Aelod dros Gymru' yn taro'n ôl yn erbyn adroddiad y Comisiwn Addysg, gan ddangos, er enghraifft, bod llai o blant siawns yng Nghymru nag mewn sawl rhan o Loegr a bod tua hanner troseddau Cymru'n cael eu cyflawni gan bobl a ddaeth o'r tu allan. Ac yntau'n cydymdeimlo â heddluoedd Cymru oherwydd eu diffyg prysurdeb, ef oedd un o sylfaenwyr y syniad o 'Gymru lân, Cymru lonydd'.

Fe ddywedodd neb llai na'r Prif Weinidog, William Gladstone, fod Henry Richard wedi dylanwadu'n fawr arno o ran ei farn am Gymru ac, yn ei ddydd, roedd y Cymro o Dregaron yn sefyll ysgwydd yn ysgwydd â rhai o eilunod Rhyddfrydol ei gyfnod, fel Richard Cobden a John Bright, heb sôn am heddychwyr ledled Ewrop. Cyn Tom Ellis a Lloyd George, ef oedd gobaith mawr y bedwaredd ganrif ar bymtheg yng Nghymru.

Fe gafodd y dyn ei grynhoi gan A G Edwards, Archesgob cyntaf yr Eglwys yng Nghymru: 'Cymro byr, cadarn gyda cheg benderfynol a llygad craff a swynai'r Cymry gyda phurdeb a harddwch ei Gymraeg.' Ac o ran ei bwysigrwydd: 'Ni chredaf y bu gan yr un arweinydd gwleidyddol yng Nghymru erioed y fath ddylanwad dwfn a diwrthwynebiad ymysg Anghydffurfwyr ag a oedd gan Mr Henry Richard bryd hynny.'

Yn 1888 y bu farw, ar ymweliad â Threborth, ger Bangor, ac yn Llundain y cafodd ei gladdu, ymhell o Sir Aberteifi. Ond yng Ngheredigion, er nad oes dim llawer o bobl yn cofio beth yn union wnaeth Henry Richard, mae'r enw yn parhau. Mae gan y cerflun afael annelwig o hyd ar ddychymyg ei bobl.

Arwres dwy oes

Sarah Jane Rees, Cranogwen, 1839–1916

TYNGED LLAWER o fenywod galluog ar hyd yr oesau oedd cael eu hanwybyddu yn ystod eu hoes a'u hanghofio wedyn. Mae Sarah Jane Rees yn eithriad. Roedd hi'n enwog yn ei hoes ei hun ac mae'n enwog eto. Roedd hi'n esiampl ac eilun i lawer o ferched ei dydd; erbyn dechrau'r unfed ganrif ar hugain, mae hi'n symbol o ryddid menywod ac yn eilun i'r mudiad LGBT. Yn nhraean olaf y bedwaredd ganrif ar bymtheg, roedd hi'n llenwi neuaddau a chapeli; yn 2021, roedd ffenestri ym mhentref ei geni, Llangrannog, yn blastar o bosteri yn galw am gofeb iddi.

Yr hyn y mae'r rhan fwyaf o bobl yn ei wybod amdani yw ei henw barddol, Cranogwen, a'r ffaith ei bod wedi dysgu darpar forwyr sut i fordwyo. Am gyfnod byr y bu hi'n gwneud hynny ac mae tystiolaeth am fenywod eraill yn gwneud yr un peth, yng Nghaernarfon er enghraifft. Mae'r ffaith ei bod hi'n ymwneud â maes mor wrywaidd yn apelio at ddychymyg heddiw. Mewn gwirionedd, fe wnaeth waith llawer mwy yn dangos y ffordd i ferched ei chyfnod sut i fyw, trwy ymgyrchu, trwy annerch a sgrifennu.

Yn 1865 y daeth Cranogwen yn enwog am y tro cyntaf. Fe enillodd wobr yn Eisteddfod Genedlaethol Aberystwyth am gerdd hir ar destun 'Y Fodrwy Briodasol'. Y peth hynod oedd ei bod wedi curo dau o feirdd mwyaf Cymru yn y cyfnod hwnnw, Islwyn a Ceiriog. Fe ddaeth yn rhyfeddod dros nos. Yn hytrach na phwdu, fe wnaeth y ddau batriarch ei chlodfori hefyd ac Islwyn yn dod yn ychydig o athro barddol iddi. Er hynny, ac er iddi gyhoeddi cyfrol o gerddi, *Caniadau Cranogwen*, yn 1870, mae deunydd y gerdd fuddugol yn bwysicach i ni nag oedd y fuddugoliaeth.

Nid cerdd yn canmol priodas i'r cymylau ydi hi. Mae hefyd yn cynnwys darlun o fenyw yn gaeth trwy briodas i ddyn meddw, cas. Flynyddoedd yn ddiweddarach, fe fyddai Cranogwen yn sgrifennu'n feiddgar nad oedd angen priodi i gyflawni pwrpas merch ac mai priodasau amhriodol yw 'ffynnon chwerw llawer o'n trueni'. Roedd hi'n ymhyfrydu yn ei statws yn 'hen ferch'. Ond hen ferch oedd hynny yn yr ystyr o fod heb ŵr – mae ganddi gerdd yn awgrymu perthynas agos iawn yn ei hieuenctid â merch a fu farw'n ifanc (yn ei breichiau, ar ei haelwyd o bosib); fe fu'n cyd-fyw am 23 blynedd olaf ei bywyd â gwraig leol ac, efallai, yn cynnal perthynas gyda hi am gyfnod hir cyn hynny.

Yn 1865, roedd Cranogwen yn ysgolfeistres yr union ysgol lle cafodd hi ei hun ei haddysg gynnar. Yn ôl y cofiant cyntaf iddi, damweiniol bron oedd ei gyrfa addysgol. A hithau'n ddim o beth, roedd wedi dysgu sgrifennu trwy ddilyn esiampl ei dau frawd hŷn ac wedi sgrifennu llythyr at ei thad o gapten llong. Roedd hynny'n ddigon i berswadio'i rhieni, John a Frances Rees, fod rhaid cymryd y cam lled anarferol o anfon eu merch i ddilyn ei brodyr i'r ysgol leol. Fe fyddai wedi dysgu rhywfaint o rifyddeg yno, gramadeg a daearyddiaeth, a phan oedd anghydfod, byddai'r prifathro, Hugh Davies, yn annog y disgyblion i drafod.

Mae rhagor o gliwiau ym mhlentyndod Sarah Jane. Yn ôl 'tystiolaeth un a gyd-faged â hi,' meddai ei chofiannydd David Glanaman Jones, 'rhoces ydoedd' ac ystyr hynny oedd ei bod yn '*tomboy* digymysg'. Fe sgrifennodd hithau'n ddiweddarach am Esther Judith, gwraig leol dlawd ond deallus na chafodd gyfle i lwyddo ond a oedd yn credu bod 'ganddi hawl hen, gan hyned â dyn, i'r holl ragorfreintiau o fewn cyrraedd'.

Methiant oedd ymgais ei rhieni i'w chael i ddysgu bod yn wniadwraig; yn hytrach na hynny, fe aeth i'r môr gyda'i thad pan oedd yn bymtheg oed. Fe fu hi gydag ef am flwyddyn neu ddwy yn hwylio o amgylch arfordir Cymru ac weithiau mor bell â Ffrainc yn cario glo a nwyddau eraill. Roedd hi'n wynebu'r un peryglon â'r morwyr eraill ac mae stori ei bod wedi dod yn agos at foddi mewn storm. Roedd y cyfnodau nesaf o addysg a gafodd yn cynnwys cyfnod yn Llundain, pan enillodd, mae'n debyg, Dystysgrif Meistr Llong.

Pan ddaeth yn ôl i Langrannog yn 1860, i ddod yn ysgolfeistres ei hen ysgol, yn ei hugeiniau cynnar yr oedd hi ac roedd rhai'n gwrthwynebu, gan ddweud na ddylai menyw gael y fath gyfrifoldeb. A dyna pryd y bu hi'n dysgu rhai o'r darpar forwyr lleol sut i fordwyo. Yn ôl cyn-ddisgybl, roedd hi'n ferch ifanc o 'gorff gweddol dal a chryf' gyda 'llygaid byw yn pefrio ac yn gweld popeth'. Roedd hi hefyd, meddai, yn ddisgyblwraig lem ac yn awdurdodol 'heb lawer o *charm* o'i chwmpas'.

Dim ond am chwe blynedd y bu hi'n ysgolfeistres; yn 1866, ar ôl ei buddugoliaeth farddonol fawr a'r sylw a'i dilynodd, fe roddodd y gorau i'r ysgol a dechrau ar yrfa lawn-amser yn pregethu a darlithio.

Mewn sawl ffordd, roedd Llangrannog wedi cael effaith arni. Yn ôl David Glanaman Jones, roedd dylanwad y capteiniaid llong yn golygu bod yno gymdeithas ychydig mwy eangfrydig ac roedd Cranogwen wedi cael cyfle cynnar i gymryd rhan, pan godwyd capel newydd, Capel Bancyfelin. Mae'n ymddangos bod y gynulleidfa yno'n iau hefyd ac yn llai caeth i arferion. Roedd hi wedi ei magu yn sŵn pregethwyr ond peth anarferol iawn oedd i fenyw fentro i'r maes.

Er bod rhai capeli'n gwrthod gadael iddi siarad o'r pulpud, er bod rhai gweinidogion yn gwrthod cydbregethu â hi ac er na chafodd ei chydnabod gan Gyfarfod Misol na Chymdeithasfa, doedd dim amheuaeth am ei phoblogrwydd. Roedd yn gyfnod da i ddechrau darlithio, gan fod yr holl gapeli newydd a ddaeth yn sgil twf diwydiannol Cymoedd y De a Diwygiad 1859 yn golygu bod galw mawr am ddigwyddiadau codi arian. Am £2/2/- y ddarlith, Cranogwen oedd 'duwies afrwydd dwy sofren'. Roedd yr un Diwygiad wedi creu galw am bregethwyr a syched am arweiniad hefyd a Sarah Jane yn teimlo'n gryf nad oedd 'pen tywyll a chalon olau yn cyd-fynd yn dda iawn' – yn ogystal â brwdfrydedd crefyddol y Diwygiad, roedd angen sobrwydd meddwl a gwybodaeth Feiblaidd i'w reoli.

Mae yna ambell ddisgrifiad ar gael sy'n dangos sut ddarlithydd oedd hi: llais mawr ond naturiol, oedd yn 'pereiddio' wrth godi, dealltwriaeth o sut i ddefnyddio darluniau i oleuo darlith ac arddull 'hynod o glir'. Roedd hi'n bregethwr poblogaidd hefyd ond, yn ôl un tyst o leiaf, yn gallu sbwylio oedfaon. Er ei bod hi ymhlith y cyntaf i arfer y sol-ffa yn ei hardal ac yn arwain côr, mae'n ymddangos bod ei brwdfrydedd a'i llais 'garw, gwichlyd' yn ddigon i foddi emynau. Ac roedd tuedd ynddi i gymryd awenau'r canu oddi ar 'arweinwyr y gân'.

O ystyried dadleuon ein cyfnod ni, roedd peth o'r feirniadaeth ddyfnach arni yn llawer mwy arwyddocaol. Yn ôl y cofiant, dyma ymateb rhai: 'Pan welsant Cranogwen yn y pulpud yn annerch torf o ddynion, credasant fod diwedd y byd wedi dod'. Roedd rhai yn 'awgrymu mai gwryw ar wedd benyw, neu fenyw ar wedd gwryw, ydoedd; a chlywsom rai yn awgrymu nad oedd yn perthyn i'r naill ryw na'r llall'. Dehongliad David Glanaman Jones ydi fod rhai o'r dynion yn genfigennus am fod menyw'n cystadlu'n llwyddiannus yn eu herbyn ac yn mynd â'u ffioedd darlithio.

Yn 1879 y dechreuodd wneud ei marc o ddifri ar fywydau a gwleidyddiaeth merched, pan ddaeth yn olygydd ar *Y Frythones*, yr ail gylchgrawn arwyddocaol ar gyfer menywod Cymraeg a'r cyntaf i'w olygu gan fenyw. Am 11 mlynedd, tan 1891, byddai'n annog meddwl mwy annibynnol ac yn defnyddio ei cholofn gwestiynau ac atebion – *agony aunt* ei dydd – i ddweud pethau digon pryfoclyd a beiddgar am statws merched a sefydliadau fel priodas.

Mewn astudiaeth yn y gyfrol *Queer Wales: The History, Culture and Politics of Queer Life in Wales*, mae Jane Aaron yn tynnu sylw at rai o'r sylwadau hynny, sy'n taro tant pendant â diwylliant enfys ein hoes ni. Pan oedd trafodaeth am ferched yn cael torri eu gwallt fel bechgyn, barn Cranogwen oedd mai 'rhai yn y modd hyn a rhai yn y modd arall yw trefn ac ardderchowgrwydd y greadigaeth'. Roedd gan bawb yr hawl i bregethu'r efengyl, meddai, os oedd awydd a gallu. 'Nid yw gwahaniaeth rhyw yn ddim byd' oedd ei neges i ddarllenwyr *Y Frythones*. 'Colled ydyw i un beidio bod yr hyn ydyw...'

Fe ddaeth ei chrefydd a'i chonsýrn am ferched at ei gilydd yng ngwaith mawr nesaf Cranogwen. Roedd wedi gweld effaith yfed ar ei thad ac, felly, cam, bron, naturiol oedd iddi sefydlu Undeb Dirwestol Merched De Cymru yn 1901 gan ddod yn Ysgrifennydd Trefnyddol arno. Erbyn ei marw ym mis Mehefin 1916, roedd yna 140 o ganghennau a hithau yn teithio yn ôl ac ymlaen yn cynnal cyfarfodydd ac yn annog a chefnogi.

Hynny i gyd er ei bod yn diodde o'r felan ers rhai blynyddoedd a'r cyfnodau isel yn amlhau wrth iddi fynd yn hŷn. Fel y dywedodd ei chofiant: '"Ar ben y bryniau'n llawenhau" neu yn "y glyn" y byddai yn nawnddydd ei bywyd. Croesai o'r naill i'r llall yn fynych yng nghorff un wythnos.'

Erbyn diwedd ei hoes, roedd ganddi brosiect arall, ar ôl gweld bod llawer o fenywod tlawd yn mynd yn ysglyfaeth i'r ddiod, yn cael trafferthion cyfreithiol ac yn aml yn cael eu hanfon i garchar. Fe ddechreuodd roi arian o'r neilltu i agor llety ar eu cyfer a, phan sefydlwyd hwnnw ar ôl ei marwolaeth, fe gadwodd y cof amdani am rai blynyddoedd.

Yn y gyfrol awdurdodol, *Cydymaith i Lenyddiaeth Cymru* (1986), dim ond un paragraff byr saith llinell sydd yna i gofio am Sarah Jane Rees. Efallai fod hynny'n adlewyrchiad o safon ei barddoniaeth – yn unol ag arfer ei chyfnod, rhyw draethodau moesol ar gân oedd y rheiny, meddai ei chymydog, y bardd Isfoel o fferm y Cilie – ond dydi saith llinell ddim yn ddigon i gydnabod ei gwaith gyda'r *Frythones* a'i dylanwad ar fywydau menywod Cymru. Fe gafodd lawer mwy o sylw yn ei hoes ei hun ac mae'n cael llawer mwy heddiw hefyd.

N'ad fi'n angof – darganfod yr heddychwraig

Annie Davies (Annie Ellis; Annie Hughes-Griffiths), 1873–1942

CHWEFROR 21, 1924. Grisiau'r Tŷ Gwyn yn Washington DC. Ychydig cyn un y prynhawn. Mae criw o naw ffotograffydd yn rhuthro ymlaen i dynnu llun pedair o fenywod. Maen nhw newydd fod yn gweld Calvin Coolidge, Arlywydd yr Unol Daleithiau. Mae'r pedair yn dod o Gymru.

Mae un yn amlwg yn arweinydd. Mae'n fenyw dal, urddasol gyda wyneb cryf a hi sy'n cario cyfrol denau wedi ei rhwymo mewn lledr hardd. Mae'n ei hagor i ddangos y geiriau y tu mewn, wedi eu llythrennu'n gain. Mae'r geiriau yn sôn am heddwch.

Tan 2014, roedd y stori y tu cefn i'r llun yna wedi cael ei hanghofio. Dim ond ar ddamwain y daethpwyd o hyd i gopi o'r gyfrol ynghanol toreth o ddeunydd arall yn y Deml Heddwch yng Nghaerdydd. Yn ystod y blynyddoedd wedyn y dechreuodd rhagor ddod i'r wyneb am Ddeiseb Heddwch Menywod Cymru ac am y gwragedd eithriadol fu'n ei llunio.

Doedd yna fawr ddim gwybodaeth am y fenyw dal, urddasol chwaith. Yn y lluniau cyfoes a'r toriadau papur newydd, dim ond ei henw ar ôl priodi oedd yno, Mrs Hughes-Griffiths neu, hyd yn oed yn waeth, Mrs Peter Hughes-Griffiths. A doedd dim sôn am fenyw o'r fath yn *Y Bywgraffiadur Cymreig*.

Bellach, mae'r ddeiseb ei hun wedi dod i'r fei. Fel y gorchmynnodd Calvin Coolidge ei hun, roedd hi wedi ei gosod yn archifau Sefydliad y Smithsonian yn Washington, mewn cist bren gadarn, debyg i Arch y Cyfamod. Roedd angen cist sylweddol – roedd y ddeiseb yn cynnwys enwau a marciau 390,296 o fenywod o bob cornel o Gymru.

Dim ond yn 2019, wrth chwilio drwy'r archif heddwch yn y Llyfrgell Genedlaethol, y daeth Craig Owen, Pennaeth y prosiect Cymru Dros Heddwch, o hyd i drysor bach arall. Roedd 'Annie's Diary' yn gofnod personol o daith y menywod Cymreig i'r Unol Daleithiau, gan gynnwys adroddiad am y cyfarfyddiad gyda'r Arlywydd ac am ddau fis o daith heddwch o amgylch y wlad.

Roedd 'Dyddiadur Annie' ynghanol papurau T I Ellis, yr awdur a'r ysgolhaig, ac, o hynny ymlaen, fe ddechreuodd y darnau ddod ynghyd. Ail ŵr Annie oedd y gweinidog Peter Hughes-Griffiths; ei gŵr cyntaf oedd un o wleidyddion mwyaf Cymru yn niwedd y bedwaredd ganrif ar bymtheg, T E Ellis, dyn a oedd, yn ei ddydd, yn fwy amlwg na David Lloyd George. Eu mab nhw oedd T I Ellis.

Annie Jane Davies oedd hi cyn hynny, un o ferched teulu cefnog plasty'r Cwrt Mawr yn Llangeitho – o'r ddwy ochr, roedd hi'n perthyn i *elite* Methodistaidd a ddatblygodd yng Nghymru yn y cyfnod wedi'r Diwygiad Mawr. Yn rhannol oherwydd ei statws ond yn fwy oherwydd ei gallu, hi oedd wedi ei dewis i arwain y ddirprwyaeth fach a hwyliodd i Washington yn nechrau 1924.

Bellach, mae'r Ganolfan Gymreig tros Faterion Rhyngwladol yn ymchwilio'n fwy trylwyr i hanes y ddeiseb – Yr Apêl oddi wrth Ferched Cymru a Mynwy at Ferched Unol Daleithiau yr America. Ar yr un pryd, mae Archif Menywod Cymru yn gwneud gwaith ar y fenyw o'r Cwrt Mawr. Un o'r rhai sy'n helpu ydi'r nofelydd, Meg Elis, wyres Annie Jane.

'Welais i erioed mohoni, wrth gwrs,' meddai. 'Ond mi glywais fy nhad yn siarad amdani. Roedd o'n meddwl y byd ohoni.' Mae hi'n swnio'n falch. 'Oedd y ddeiseb yn anferth o beth. Roedd o wedi ei arwyddo gan bron draean o holl ferched Cymru. Ac iddi hi, nid cyfarfod â Calvin Coolidge oedd y peth mawr, ond cyflwyno'r ddeiseb i gasgliad o fudiadau merched yn New York mewn cinio mawr.'

Annie oedd wedi siarad ar ran y ddirprwyaeth bryd hynny gydag araith y byddai'n traddodi sawl fersiwn ohoni yn ystod y daith ar draws UDA. Yn honno, roedd hi'n sôn am y cysylltiadau heddwch rhwng Cymru ac America, am ddyn o'r enw Elihu Burridge yn cydweithio â'r Cardi Henry Richard i drefnu cynadleddau rhyngwladol, er enghraifft, ac am y traddodiad heddwch yng Nghymru. Ac, fel yn achos llawer o'r menywod a arwyddodd y ddeiseb bum mlynedd wedi'r Rhyfel Mawr, roedd ganddi hi ei rhesymau ei hun dros ymgyrchu.

Yn 1918, tua diwedd y rhyfel, roedd ei mab Thomas Iorwerth Ellis wedi cael ei gonsgriptio. Er i'r brwydro ddod i ben heb iddo orfod ymladd, roedd hi, meddai Meg Elis, wedi teimlo'r arswyd o'i weld yn mynd. Roedd y ddau ohonyn nhw'n agos iawn; roedd ei gŵr wedi marw ychydig fisoedd cyn geni Tom; hi oedd wedi ei fagu.

Dim ond am ddeng mis y bu T E Ellis ac Annie Davies yn briod. Roedd hi wedi bod yn briodas fawr yn Aberystwyth, gyda rhai o bobl bwysicaf Cymru yno. Wedi'r cyfan, T E Ellis oedd Prif Chwip y Blaid Ryddfrydol yn y llywodraeth. Tan ei farwolaeth yn 40 oed, ef oedd mab darogan gwleidyddiaeth Gymreig.

Roedden nhw i fod wedi priodi flwyddyn ynghynt ond roedd y Rhyddfrydwr mawr W E Gladstone wedi marw ac, yn ôl eticet y cyfnod, roedd rhaid gohirio'r cyfan. Am y deng mis y buon nhw'n cyd-fyw, roedd hynny yn Cowley Street yn Llundain, wrth galon y sefydliad Rhyddfrydol. Mae'r unig dudalen sydd wedi goroesi o ddyddiadur pob-dydd Annie yn cadarnhau barn Meg Elis ei bod hi'n troi ymhlith mawrion y byd gwleidyddol, o'r Prif Weinidog i lawr. Roedd ganddi gysylltiadau.

Yn ne Ffrainc y bu farw Tom Ellis, o lid yr ymennydd. Roedd hithau wrth ei ochr, yn ddi-ildio, am ddeuddydd a hanner. Roedd y gwleidydd disglair wedi bod yn sâl ychydig ynghynt a'r gred oedd ei fod wedi ailddechrau gweithio yn llawer rhy gynnar. Roedd gan Annie ac yntau ddigon o fodd, ond roedd hi'n dal i wynebu geni plentyn a'i fagu.

Roedd hi'n dod o linach o fenywod galluog, cryf. Roedd ei mam-gu hefyd wedi gorfod magu teulu ar ei phen ei hun; roedd ei mam yn drefnydd da ac yn ddigon annibynnol ei barn i wrthod cyngor meddyg a, thrwy hynny, achub bywyd un o'i meibion. Fe ddaeth chwaer Annie, Sara, yn nofelydd Cymraeg cynnar pwysig o dan ei henw hithau ar ôl priodi, Sara Maria Saunders.

Annie ei hun sy'n sôn rhywfaint am eu bywyd teuluol cynnar; roedd ei hysgrif 'Atgofion am Cwrt Mawr' yn ddechrau ar hunangofiant na chafodd erioed ei orffen. Yn hwnnw y cawn ddarlun o deulu breintiedig mewn plasty eithaf anghysbell a'r plant yn diddanu eu hunain. Dyma y mae Mari Ellis, merch yng nghyfraith Annie a mam Meg Elis, yn ei ddweud yn ei chyflwyniad i gasgliad o lythyrau Tom Ellis at ei wraig: 'Edrychid ar deulu'r Cwrt Mawr fel math o ysweiniaid plwyf, a rhoddai'r merched cyrtsi pan ddeuent heibio yn eu cerbyd.'

Saesneg oedd iaith y teulu ond fod y gweision a'r morwynion i gyd yn siarad Cymraeg. Iaith dydd Sul oedd y Gymraeg yn bennaf i'r plant – yn hen gapel Daniel Rowland – ac, ar wahân i Sara, doedd yr un o'r lleill mor gyfforddus yn Gymraeg ag oedden nhw yn Saesneg. Yn ei lythyrau caru a'i lythyrau gŵr priod, roedd Tom Ellis yn amlwg yn annog Annie i sgrifennu yn Gymraeg ac yn canmol ei huodledd, os nad pob un o'i threigladau.

Crefydd oedd yr elfen amlwg arall, yn enwedig Methodistiaeth. Yn un o'i sylwadau miniog nodweddiadol, fe soniodd J Glyn Davies, awdur caneuon Huw Puw, am 'dduwioldeb arswydus' y cartref yng Nghwrt Mawr ac, yn ôl T I Ellis, roedd ei fam wedi dilyn yr un patrwm.

Ar ôl cael addysg am gyfnod gan athrawon preifat, fe gafodd Annie fynd i Ysgol Llangeitho yn 1882 a hithau'n naw mlwydd oed. Er ei bod yn cael ei galw'n 'Miss Annie' i ddechrau, barn Mari Ellis ydi fod ymwneud â phlant lleol o bob math wedi gwneud byd o les iddi. Fe fyddai o gymorth mawr yn ddiweddarach wrth helpu i drefnu'r ddeiseb heddwch a cheisio cyrraedd menywod o gefndiroedd gwahanol. Roedd hi hefyd yn ferch swil a'i thaldra'n gwneud hynny'n waeth – erbyn ei bod yn 14 oed, roedd hi'n 5'10".

Fe gafodd ei bwlian ar ôl symud am gyfnod i ysgol yn Aberystwyth, a'r cam nesaf yn 13 oed oedd mynd gydag un o'i chwiorydd i Kilburn Ladies' College yn Llundain ac wedyn i ysgol yng Nghaer. Fe aeth i Goleg Prifysgol newydd Aberystwyth hefyd yn 1892 i ddilyn darlithoedd mewn hanner dwsin o bynciau ond heb fwriadu gwneud gradd.

Dair blynedd yn ddiweddarach, roedd hi'n gofalu am gartref i'w brodyr tra oedden nhw yn astudio yn Llundain.

Bryd hynny y dechreuodd hi droi ymhlith Cymry pwerus Llundain ac, erbyn mis Ionawr 1897, roedd Tom Ellis wedi gofyn am gael ei gweld yn aml. Mae ei lythyrau ati yn dangos edmygedd a chariad; 'Meluseg' yw ei enw arni. Dydi ei llythyrau hi ato ef ddim ar gael; fe'u llosgodd nhw i gyd yn fuan ar ôl ei farwolaeth ar 5 Ebrill 1899.

Erbyn 1902, ac am yr 11 mlynedd nesaf, roedd hi'n byw yn Aberystwyth. Dyna'r flwyddyn hefyd y cafodd ei gwneud yn aelod o Gyngor Coleg Aberystwyth yn 29 oed. Fe fu yn aelod ohono am 40 mlynedd tan ei marwolaeth hithau. Roedd yn ddechrau ar fywyd cyhoeddus yn ei rhinwedd ei hun; byddai hefyd ar Lys Prifysgol Cymru, ar y Bwrdd Addysg Canol ac ar Lys a Chyngor y Llyfrgell Genedlaethol. Ar waith cyhoeddus, yn agor Aelwyd newydd yr Urdd yn Aberystwyth, y trawyd hi'n wael y tro olaf.

Yn 1913 yr aeth hi'n ôl i Lundain a dechrau mynd eto i gapel Charing Cross. Y gweinidog adnabyddus yno oedd Peter Hughes-Griffiths.

O blith ei theulu hi, dim ond ei mab oedd yno pan briodon nhw yn hydref 1916. Yn ôl y sôn, doedd yna fawr o gyfathrach rhwng ei hail ŵr a John, ei brawd hynaf, a dydi Meg Elis ddim yn credu bod fawr o gynhesrwydd chwaith rhwng ei thad, T I Ellis, a'i lystad newydd. Pan fu'n rhaid i Peter Hughes-Griffiths fynd i Dde Affrica am ddwy flynedd oherwydd ei iechyd, yr argraff ydi fod Annie wrth ei bodd yn mynd i ofalu am dŷ ei brawd, a oedd erbyn hynny'n Brifathro Coleg Aberystwyth, a chael cyfle i dreulio amser yno ac yn y Cwrt Mawr.

Erbyn 1923, roedd hi wedi dechrau o ddifri ar ei gwaith heddwch ac yn Llywydd Cyngor Cenedlaethol Cymru o Undeb Cynghrair y Cenhedloedd. Pan gafwyd y syniad o gael deiseb heddwch gan fenywod Cymru, fe gafodd ei dewis yn un o'r trysoryddion mygedol. Un o brif amcanion y ddeiseb oedd galw ar i'r Unol Daleithiau ddod yn aelodau o'r gynghrair a'i harwain. Pan benderfynwyd bod angen dirprwyaeth i fynd â'r ddeiseb i America, roedd hi'n ddewis amlwg.

Roedd y gwaith o drefnu'r ddeiseb yn rhyfeddol. Dim ond yn awr y mae ymchwilwyr yr archifau heddwch a menywod yn dod o hyd i'r manylion, a'r cyfan wedi ei drefnu gan Gynhadledd Genedlaethol o Ferched yn Aberystwyth ym mis Medi 1923. Roedd yna bwyllgorau a chynrychiolwyr lleol ac mae'n rhaid bod y casglwyr enwau wedi galw ym mron pob tŷ trwy'r wlad. Yn ôl Meg Elis, dim ond croes oedd llofnod rhai ac roedd amryw wedi cael eu tanio trwy golli meibion, gwŷr a thadau yn y Rhyfel Mawr.

Mae'r ddeiseb yn cael ei gweld bellach yn ddigwyddiad pwysig yn hanes hawliau menywod yng Nghymru a hefyd yn hanes heddychaeth. Mewn ffordd, mae'r ddeiseb a'r ddirprwyaeth yn rhagflaenu'r symudiad a ddigwyddodd bron 60 mlynedd yn ddiweddarach pan orymdeithiodd menywod o Gymru i Gaerdydd i ddechrau'r brotest yn erbyn gosod taflegrau niwclear yng Nghomin Greenham.

Roedd gan y menywod eraill ar y ddirprwyaeth hefyd gysylltiadau cryf â Cheredigion. Yn Aberystwyth y byddai un o'r tair, Mary Ellis, yn setlo ar ôl priodi (â'r Parch. Gwilym Davies, un o ysbrydolwyr y ddeiseb a Neges Ewyllys Da yr Urdd) a dod yn ail Arolygydd Ysgolion benywaidd Cymru. Fe fyddai Elined Prys yn mynd i fyw i'r Unol Daleithiau yn y pen draw ar ôl dod yn seicolegydd blaenllaw, yn un o ddilynwyr cynnar Jung ac yn olygydd ar gylchgrawn dylanwadol ym maes seicoleg a chrefydd. Does dim cymaint o wybodaeth am y bedwaredd, Gladys Thomas – mae'n ymddangos mai cydymaith ar y daith oedd hi, yn gymorth i Annie Hughes-Griffiths.

Mae disgrifiadau Annie o'r daith yn fywiog ac, yn aml,

yn graff. Roedd menywod yr Unol Daleithiau'n llawer mwy agored na menywod Lloegr, meddai, heb ddim o'r un ffuantrwydd a malais. 'Dyn tawel urddasol o daldra canolog' oedd Calvin Coolidge ac fe gawson nhw dderbyniad digon gwresog (fe ddywedodd hefyd ei fod o dras Cymreig). Fe wnaethon nhw gwrdd hefyd â 'Secretary Hughes' ac mae'n rhaid mai'r Cymro Charles Evans Hughes oedd hwnnw, Ysgrifennydd Gwladol y cyfnod. Ond 'smug' oedd y farn am hwnnw. 'Roedd yn ddymunol ond nawddoglyd a doedd ganddo fawr ddim i'w ddweud wrthon ni.'

Disgrifiadau o'r holl gyfarfodydd a'r holl brofiadau newydd sydd yn y dyddiadur yn bennaf, gan gynnwys gweld ei 'caffeteria' cyntaf a chael pryd o fwyd Tsieineaidd (heb ei fwynhau). Ym mhob man, roedd pobl o dras Cymreig yn tyrru atyn nhw ac ymgyrchwyr heddwch hefyd. Fe gawson nhw effaith – o fewn wythnosau i'w hymweliad fe fyddai'r naw cymdeithas a ddaeth i dderbyn y ddeiseb yn y cinio mawr yn ffurfio corff newydd, The National Committee on the Cause and Cure of War, a hwnnw, yn ei anterth, yn cynrychioli pum miliwn o aelodau.

Yn rhagair y gyfrol o lythyrau at Annie, roedd Mari Ellis wedi nodi beth ydi'r drefn arferol yn y busnes o gynnal cof: 'y gŵr yn cael cofiant a'r wraig yn cael ychydig frawddegau yn y cofiant hwnnw'. Mae llawer o berthnasau a chyndadau Annie yn *Y Bywgraffiadur Cymreig*; rhai amlwg fel y ddau Tom Ellis, rhai llawer iawn mwy cyffredin. Mae ei hail ŵr yno hefyd. Ond does dim cofnod am Annie Hughes-Griffiths, Annie Ellis nac Annie Davies chwaith. Mae ei stori hi bellach yn bwysig am ddau reswm – am yr hyn a gyflawnodd hi a'r ffaith na chafodd ei chofio... hyd yn hyn.

Nofelydd y rhamant syml

Elizabeth Mary Owen, Moelona, 1877–1953

Ar lethrau bryn coediog uwch dyffryn tawel, safai bwthyn bychan yn edrych draw dros y môr. Y tu allan, chwythai'r gwynt yn ffyrnig ond rhwng ei furiau cedyrn gwyngalchog, nythai teulu bychan o flaen tanllwyth o dân.

GALLAI PARAGRAFF FEL yna yn hawdd iawn fod yn ddechrau i un o straeon Moelona, gyda disgrifiad o gartref clyd o fewn cyrraedd i'r môr a theulu bach yn gyfforddus o dan ei gronglwyd. Fe allai hefyd fod yn ddisgrifiad o'i chartref mebyd hi, yn Rhydlewis yng Ngheredigion, ychydig filltiroedd o bentrefi glan-môr Llangrannog, Tre-saith a Phenbryn.

Yn ei gwaith, roedd y cartref Cymraeg yn aml yn noddfa rhag y byd y tu fas, yn dlawd, efallai, ond yn gysurus ac yn gariadus. Ac yn y bwthyn, fe fyddai plant a phobl ifanc yn breuddwydio am yrfaoedd a bywyd y tu hwnt i'w hardal.

Ond fe fyddai bygythiadau ac roedd hynny hefyd yn tyfu o brofiad Moelona ei hun. Yn ei nofel enwocaf, *Teulu Bach Nantoer*, mae cyw melyn olaf y teulu, Eiry fach, yn diflannu a'r teulu'n cymryd ei bod hi wedi marw. Fe gollodd tad a mam Moelona saith o'u 13 o blant, tri o fewn wythnos ac un o'r rheiny yn marw tra oedd y rhieni'n claddu'r ddau arall.

Er bod hynny cyn geni Moelona, roedd y colledion wedi

cael effaith fawr ar ei mam ac fe fu farw hithau yn 1890, pan oedd Moelona – Elizabeth Mary Owen – ar ddechrau ei harddegau. Un o rannau mwyaf dirdynnol *Teulu Bach Nantoer* ydi'r disgrifiadau o ofid y teulu ar ôl diflaniad Eiry.

Yn 1895, fe fu farw un arall o'r plant, Hannah, ac fe sgrifennodd Moelona gerdd amdani ychydig flynyddoedd wedyn. Fe fu farw ei thad yn fuan iawn ar ôl Hannah ac, mewn cerdd a sgrifennodd 'uwch bedd' ei rhieni ym mynwent Hawen, Rhydlewis, mae Moelona'n dweud ei bod 'heb dad, heb fam, heb gysur yn y byd'. Roedd y 'teulu' yn allweddol yn ei gwaith.

Mae'n bosib iawn mai un o'r rhesymau pam y daeth *Teulu Bach Nantoer* yn un o lyfrau plant mwyaf poblogaidd yr iaith Gymraeg erioed oedd ei fod, fel llawer iawn o *bestsellers*, yn cyffwrdd yn ofnau a thueddiadau ei gyfnod. Mae dau o'r pedwar plentyn yn gadael cartref, yn cael cyfle trwy addysg i wella'u byd; mae yna bryder am blentyn bach a hynny'n awgrymu mor gyffredin oedd marwolaeth plant ar aelwydydd y cyfnod; mae yna wraig ddieithr yn dod i'r ardal a hynny, efallai, yn adlewyrchiad o gymdeithas oedd yn newid ac yn mynd yn fwy symudol; mae rhan o'r stori yn digwydd yn yr Unol Daleithiau, yn dangos gallu newydd pobl i deithio'n hawdd o le i le. A Saesnes oedd y wraig gyfoethog, mewn cyfnod pan oedd bygythiadau i'r Gymraeg yn cryfhau, hyd yn oed yn y Gymru wledig.

Yn ôl yr addysgwr, Roger Jones Williams, roedd *Teulu Bach Nantoer* wedi gwerthu 30,000 o gopïau; i blant yr 1920au a'r 30au – ac yn enwedig i enethod – dyna'r llyfr plant mwyaf cofiadwy. Mewn sgwrs radio, fe ddywedodd y darlithydd a'r awdur Norah Isaac ei bod yn dal i gofio ble'n union yn y gyfrol y byddai'r dagrau yn dechrau llifo wrth ddarllen.

Yn ogystal â cholli plant, roedd yna elfennau eraill yn y stori a oedd yn wir am Moelona a'i theulu yn lle:

Ysgol fechan oedd ysgol y pentref a her fawr oedd dysgu'r fath amrywiaeth o blant. Dyheai rhai o fechgyn y ffermydd am lafurio yn y meysydd; awchai eraill am ddysg. Profasai'r ddisgybl-athrawes, Lizzie Mary Owen, gryn lwyddiant yn eu paratoi at y bywydau a ymestynnai o'u blaenau. Rhoddai sylw dyledus i'r genethod hefyd. Dafi Lanlas oedd y monitor yn y cyfnod hwnnw...

Petai hi wedi sgrifennu am y peth, efallai mai fel yna rhywsut y byddai Moelona wedi ei disgrifio ei hun yn ei swydd gyntaf, yn athrawes gynorthwyol – *pupil-teacher* – yn ei hysgol leol. Roedd wedi ei geni mewn fferm o'r enw Moylon (gwraidd ei henw barddol) ond fe fu'n rhaid i'r teulu symud yn fuan i dyddyn llai o'r enw Llwyn yr Eos. Erbyn hynny, roedd un brawd, Owen, eisoes yn weinidog ifanc ac un o'i chwiorydd ar y ffordd at lwyddiant mewn busnes yn yr Unol Daleithiau. Roedd Moelona hithau wedi anelu'n uchel ond, oherwydd amgylchiadau, gan gynnwys marwolaeth ei rhieni, wedi methu â manteisio ar ysgoloriaeth i Goleg y Brifysgol, Aberystwyth. (Mewn mwy nag un o'i straeon, mae mam yn marw a merch yn gorfod dod yn ôl adref i ofalu am ei thad.)

Yn 1891, yn 14 oed, y cafodd ei chyfle i fod yn gynorthwyydd yn yr ysgol ac, erbyn mis Hydref 1893, roedd yn cael ei chanmol am wella safonau plant Standard II. Mae'n ymddangos ei bod wedi dechrau astudio ar gyfer arholiadau'r Gwasanaeth Sifil ond aros ym myd addysg wnaeth hi ac ennill tystysgrif athrawes. Erbyn 1905, ar ôl cyfnodau'n dysgu ym Mhont-rhyd-y-fen, Pen-y-bont ar Ogwr ac Acre-fair ger Wrecsam, roedd hi wedi cyrraedd Caerdydd, yn ymlafnio, heb fawr o gefnogaeth, i ddysgu Cymraeg i blant Ysgol Kitchener Road.

Mae ei llyfrau nodiadau yn dangos iddi fod wrthi'n sgrifennu cerddi a thelynegion ers blynyddoedd ond yng Nghaerdydd y dechreuodd sgrifennu cynnyrch mwy amrywiol, yn sgetsys i'r plant ac yn straeon i gylchgronau ac eisteddfodau. Fe ymddangosodd ei llyfr cyntaf, *Dwy Ramant o'r De*, yn 1911 (yr un flwyddyn ag y cafodd gydradd gyntaf am stori fer yn Eisteddfod Genedlaethol Caerfyrddin) a, flwyddyn yn ddiweddarach, daeth *Teulu Bach Nantoer*.

Eisteddfod Genedlaethol Wrecsam 1912. Rhestr Testunau. Cystadlaethau Rhyddiaith: "Ystori yn disgrifio Bywyd Cymreig i blant ysgol rhwng 12 a 14 oed". Gwobr: £5

Roedd honno'n eisteddfod fawr. Fe enillodd T H Parry-Williams y Gadair a'r Goron. Ond fe enillodd Moelona hefyd a gweddnewid llenyddiaeth Gymraeg i blant. Roedd hi ac ambell un arall, fel Winnie Parry a Fanny Edwards, eisoes wedi bod yn sgrifennu straeon i'r cylchgrawn newydd arloesol *Cymru'r Plant*, a hynny mewn arddull wahanol iawn i hen foeswersi'r cylchgronau crefyddol. Ond *Teulu Bach Nantoer* oedd y nofel a daniodd ddychymyg cenhedlaeth. Roedd yn 'em fechan,' meddai'r beirniad, Lewis Jones Roberts, yn yr Eisteddfod ac yn gyfraniad 'gwerthfawr i lenyddiaeth Cymru'.

Roedd y testun yn gweddu i'r dim i Moelona. Un o brif nodweddion ei llyfrau yw eu portread o fywyd Cymreig a Chymraeg y cefn gwlad a'r capel. Mae'r darlun o deulu yn y nofel yn un delfrydol ac, yn ôl y beirniad llên, Katie Gramich, bron nad ydi'r darlun hwnnw yn symbol o Gymru a'r byd Cymraeg yn wyneb bygythiadau'r byd Saesneg. Yr enghraifft amlycaf o hynny ydi araith y rheithor Mr Puw yn yr ysgol: 'Mae Cymru heddiw ar ei thraed, wedi deffro... Ddaw'r un Cymro byth yn fawr wrth geisio troi'n Sais.'

I raddau helaeth, clodfori'r byd Cymraeg cartrefol, moesol, y mae gweithiau Moelona. Ar ôl cyhoeddi ei nofel *Bugail y Bryn*, fe sgrifennodd y llenor D J Williams ati yn ei chanmol – tra oedd y Diafol, meddai, wedi ysbrydoli dyn arall o Rydlewis, Caradoc Evans, i sgrifennu ei ymosodiadau ar y byd gwledig Cymraeg a'r capel yn *My People*, Duw oedd wedi ei hysbrydoli hi. Doedd y storiwraig a'r nofelydd, Kate Roberts, ar y llaw arall, ddim yn frwd tros bropaganda cenedlaetholgar o'r fath, gan ei gymharu mewn llythyr â 'jam afalau' di-flas a dweud y dylai awduron felly gael eu rhoi 'yn y jêl'.

Yn ddiweddarach, byddai Moelona'n sgrifennu erthyglau a chyflwyno sgyrsiau proffwydol ar bwnc yr iaith. Yn un, 'A Menace to the Language in Wales', mae'n rhybuddio pobl mewn ardaloedd fel Ceredigion rhag bod yn ddifater. Yno, meddai hi, yr oedd y bygythiad mwyaf. Yn y De diwydiannol llai Cymraeg, lle'r oedd hi'n byw erbyn hynny, roedd hi'n gweld pobl yn brwydro tros yr iaith; ond yn y Gymru wledig, roedd busnesau'n defnyddio'r Saesneg gyda'u cwsmeriaid Cymraeg a phapurau lleol yn cyfyngu'r iaith i bethau plant a llenyddiaeth. Targed arall oedd yr arfer o Seisnigo enwau trefi a phentrefi ac, mewn sgwrs Gymraeg, fe rybuddiodd rhag dibynnu gormod ar fyd addysg i achub yr iaith. Roedd ei llyfrau'n rhan o'r frwydr.

Yng nghapel Ebenezer, Caerdydd, ddydd Sadwrn diweddaf, unwyd Golygydd y "Darian" (Parch J Tywi Jones) â Miss L M Owen (Moelona) mewn priodas...

Fel yna y disgrifiodd *Y Darian* ei hun ddigwyddiad ym mis Medi 1917 – priodas rhwng golygydd hen bapur radical y gweithwyr a'i golofnydd plant. Roedd Moelona, yn ôl y gohebydd dienw, 'ymhlith goreuon llenorion Cymru, ac fel nofelyddes nid oes neb yn fwy poblogaidd na hi', ac mae'n debyg mai trwy'r papur y daeth y ddau ynghyd. Roedd hi wedi dechrau sgrifennu'r golofn blant yn 1914 ac fe fu farw gwraig gyntaf J Tywi Jones yn 1915.

Yn y Glais ger Abertawe yr oedd J Tywi Jones yn weinidog ac yno y byddai Moelona'n byw am y 18 mlynedd nesaf. Doedd hi ddim yn wraig gweinidog nodweddiadol; roedd un o'i chydnabod yn ei chofio hi flynyddoedd wedyn yn smocio ambell sigarét mewn 'peipen hir', yn sôn ei bod ychydig yn fohemaidd ei ffordd a bod 'dipyn o steil Ffrainc yn ei hosgo a'i hagwedd'. Roedd hi'n hoff o deithio dramor, wedi dysgu rhywfaint o Almaeneg a chael digon o Ffrangeg i gyfieithu straeon i'r Gymraeg. Dydi hi ddim yn ymddangos chwaith bod y berthynas yn gwbl esmwyth na gwresog rhyngddi hi a dwy ferch J Tywi Jones o'i briodas gyntaf.

Mewn cwpwl o erthyglau i bapurau Saesneg, mae Moelona'n rhoi argraff o'i bywyd yn y cyfnod yma. A hithau yn 40 oed yn priodi, mae'n dadlau mai canol oed ydi'r oed gorau i fenyw: 'Bydd llawer o fenywod, yn yr oed hwn, a hwythau wedi eu rhyddhau rhag cyfrifoldebau mam, yn datblygu posibiliadau na allent freuddwydio amdanynt ynghynt.'

Trwy'r cyfnod hwn, roedd yn cyhoeddi'n gyson – nofelau a llyfrau ysgol i blant – ond eto, mae'n awgrymu ei bod wedi cael cyfnodau anodd ar ôl gorfod symud o 'dref fawr' fel Caerdydd i 'bentre' glofaol bychan'. Heb y math o gymdeithas lawn-diwylliant oedd ganddi gynt ('congenial society' ydi ei geiriau hi), a gyda morwyn effeithiol yn gwneud y gwaith tŷ i gyd, roedd hi, meddai, wedi dechrau teimlo'n ddiwerth a diodde am flynyddoedd o iselder, llesgedd ac anemia. Comisiwn i sgrifennu llyfryn oedd ei hachubiaeth – hobi creadigol, cynhyrchiol oedd yr ateb i fenywod canol oed.

Os nad oedd bod yn wraig gweinidog yn ddigon iddi, mae'n amlwg fod Tywi Jones a hithau'n rhannu'r un diddordebau. Roedd yntau wedi brwydro yn erbyn y lli gwleidyddol gyda'r *Darian*, yn pledio heddwch yn ystod y Rhyfel Mawr ac yn arddel cenedlaetholdeb. Ac ef, yn 1919, oedd wedi gofyn iddi ddechrau sgrifennu colofn i fenywod. Ar ôl iddo ymddeol yn 1935, fe symudon nhw'n ôl yn nes at ardal ei geni, a byw yn y Cei Newydd lle'r oedd hi'n parhau i sgrifennu a chynnig ambell ddosbarth preifat i blant.

Pa bryd ca merch ei hawliau?
Pa bryd daw'r Fôt i'n rhan?
Nyni wnawn drefn ar bethau,
Nawr anhrefn sy' 'mhob man.

Yn 1911 yn anterth yr ymgyrch i gael y bleidlais i fenywod y sgrifennodd Moelona'r pennill yna ac roedd safle'r ferch yn amlwg yn ei gwaith. 'Go brin y gellir canfod yng ngwaith un llenor Cymraeg arall safiad mor bendant ar iawnderau merched,' meddai Roger Jones Williams. Tra oedd gan fechgyn nofelau plant E Tegla Davies, roedd gan enethod Cymraeg Moelona. Ar y cyfan, menywod annibynnol eu barn sydd yn ei nofelau.

Yn ei nofel *Rhamant y Rhos*, er enghraifft, mae'r prif gymeriad o ferch yn gwrthod pwysau i briodi mab fferm lleol oherwydd y byddai hynny'n chwalu ei breuddwydion: 'Mae degau, ie, mae y rhan fwyaf o ferched yn priodi, nid oherwydd bod ganddynt y teimlad angerddol a elwir Cariad at eu gwŷr, ond am fod eisiau cartref arnynt, ac eisiau rhywun i bwyso arno wrth fynd ar hyd taith bywyd.'

Mae *Teulu Bach Nantoer* wedi cael ei feirniadu am fod y ferch hynaf, Mair, yn dweud, yn ddigon realistig mae'n siŵr, mai ei huchelgais ydi bod yn forwyn (tra oedd ei brodyr yn breuddwydio am fod yn Aelod Seneddol a chapten llong).

Ond, eto, mae yna arwyddocâd yn y ffaith fod y fam yn gofyn ei barn yn y lle cyntaf. Ac, erbyn diwedd y nofel, mae Mair wedi cymhwyso'n athrawes.

Er bod *Teulu Bach Nantoer*, yng ngeiriau'r arbenigwraig llyfrau plant, Siwan Rosser, yn 'nofel ddiniwed sy'n perthyn i gyfnod a fu', roedd gwaith Moelona yn fwy beiddgar yn y cyfnod hwnnw. Pan oedd nofelau Cymraeg i blant yn ddychrynllyd o brin (a rhai i ferched yn brinnach), fe agorodd hi ddrysau newydd a mynd ag un stori i'r Swistir ac un arall i Fôr y De.

'Yng Nghymru,' meddai Norah Isaac ym mlwyddyn marw Moelona yn 1953, 'peth newydd, peth diweddar yw cael awduron yn trafferthu ysgrifennu a chyhoeddi storïau a nofelau ar gyfer plant yn unig... chewch chi fawr o bethau cyffrous yn llyfrau Moelona – dim ond storïau syml am fywyd-bob-dydd pobl gyffredin... nid am iddynt wneud pethau mawr, ond am iddynt fod yn fawr yn y pethau bach.'

Yn ei nofelau a'i llyfrau ysgol, fe osododd drywydd ar gyfer rhai fel T Llew Jones a gwneud hynny yn llais merch. Llyfrau dysgu darllen oedd un gyfres ganddi a hithau'n dweud ei bod yn canolbwyntio ar greu stroi gron, yn hytrach na rhes ddiystyr o eiriau unsill a dwysill. Dysgu plant am hanes a llenyddiaeth Cymru oedd un o'i chenadaethau eraill ac, yn eithriadol iawn, mae dialog ei nofelau yn llawn o dafodiaith ei rhan hi o Geredigion, heb ei glastwreiddio ddim.

Er bod Roger Jones Williams yn ei beirniadu am 'naïfrwydd agwedd' ac am fod y storiwraig yn aml yn cael ei llethu gan yr athrawes, doedd ei darllenwyr ddim fel petaen nhw'n poeni. Trwy ei effaith, yn ogystal â'i gynnwys, mae *Teulu Bach Nantoer* yn ddarlun o gyfnod. Mae nofel gyfoes Moelona wedi troi'n drysor bach hanesyddol.

Dafi y diafol bach

David Caradoc Evans, 1878–1945

SAWL TRO BOB dydd yn Ysgol Rhydlewis yn 1892, mae'n rhaid fod Moelona, y ddisgybl-athrawes, wedi cael gair neu ddau gyda Dafi Lanlas. Hwnnw oedd y monitor, un cam yn is na hi yn nhrefn ysgolion y cyfnod. A'r ddau'n gobeithio dod yn athrawon cyflawn.

Roedd Dafi'n fachgen poblogaidd yn ôl y sôn, yn adnabyddus am ei allu i ddynwared pregethwyr yn yr iard ac yn cael ei ystyried ychydig yn rhy garedig o ran disgyblu'r plant lleiaf. Flynyddoedd wedyn, ac yntau yn cael ei alw yn 'gas ddyn Cymru', byddai pobl leol yn dal i gofio'r bachgen gyda hoffter.

Roedd Moelona a Dafi Lanlas wedi cael eu magu yn yr un pentref, wrth draed yr un athrawon ac yng nghlyw yr un pregethwyr. Yr ysgol oedd un o'r dylanwadau mwyaf ar y ddau. Y capeli a'r bywyd cymdeithasol o'u cwmpas oedd y llall. Fe fyddai Moelona yn mynd yn ei blaen i sgrifennu straeon yn mawrygu'r byd hwnnw a chlosrwydd y gymdeithas Gymraeg; fe fyddai Dafi Lanlas yn mynd i gyfeiriad arall. Dan yr enw Caradoc Evans, fe fyddai'n denu casineb a melltith llawer o'i bobl am ddarlun cignoeth, grotésg o'u ffaeleddau.

Er ei fod wedi byw am 66 o flynyddoedd, yn yr ychydig flynyddoedd hynny yn Rhydlewis y mae allwedd y gweddill i gyd. Ond mae'r blynyddoedd cynnar hynny'n llawn dirgelwch ac anghytundeb. Fe greodd Caradoc Evans ei hun ychydig o chwedloniaeth o gylch ei gefndir; roedd ei wrthwynebwyr a'i feirniaid wedi creu chwedloniaeth arall. Pan fyddai'n cael ei feirniadu, roedd Caradoc Evans fel petai wrth ei fodd yn procio rhagor, yn cynhyrfu Cymry parchus y capeli a chyfiawnhau'r darlun dieflig yr oedden nhw wedi'i greu ohono.

Yn 1915 yr ymddangosodd *My People*, ei gyfrol gyntaf syfrdanol o straeon byrion. Roedd pedair wedi ymddangos mewn cylchgrawn yn Lloegr cyn hynny ac wedi achosi ymateb chwyrn yn y papurau Cymreig. Ond doedd hynny'n ddim wrth y storm a ddilynodd y casgliad cyfan o bymtheg stori, gyda'u darlun tywyll o'r Gymru wledig Gymraeg, yn llawn barusrwydd a rhagrith, yn dangos dynion anifeilaidd eu ffordd a menywod yn cael eu sathru dan draed. Dau beth sy'n dal y cyfan ynghyd: ariangarwch a gafael y capel – y pulpud, y Sedd Fawr ac, yn bennaf oll, y gweinidogion. Yn waeth bron, i gynulleidfa'r cyfnod, mae yna islais rhywiol tywyll i rai o'r straeon.

I ychwanegu at y tywyllwch dudew, roedd Caradoc Evans wedi dyfeisio iaith ryfedd ar gyfer ei gymeriadau, yn gymysgedd o arlliw iaith y Beibl, dyfeisiadau rhyfedd newydd a chyfieithu a chamgyfieithu llythrennol o'r Gymraeg. Mae'n llawn cyfeiriadau at y 'Big Man' yn y nefoedd a'r 'Big Seat'; 'iss' fel sŵn neidr ydi pob 'ie' a 'Respected' ydi teitl pob gweinidog. Fel y straeon eu hunain, mae'r iaith yn gyntefig, yn chwyddo ac yn ystumio pob darlun, yn cyfannu'r byd y mae Caradoc Evans wedi ei greu.

Yn ôl Prif Gwnstabl Caerdydd ar y pryd, dyma'r llyfr gwaethaf yr oedd wedi ei weld erioed; yn ôl y *Western Mail*, roedd pob un o'i gymeriadau yn fwriadol 'ffiaidd'.

Doedden nhw ddim yn Gymry, nac, yn sicr, yn aelodau o'r werin Gymraeg. Ambell dro yn ystod ei oes, ar ôl rhoi darlith, fe fyddai'n rhaid i Caradoc Evans gael ei warchod gan yr heddlu rhag ofn ymosodiadau.

Fe gafodd *My People* ei ddilyn o fewn llai na blwyddyn gan ail gyfrol, *Capel Sion*, ac, ymhen ychydig eto, gan *My Neighbours* a drama o'r enw *Taffy*. Y rheiny i gyd yn troi'r un crochan o grefydd, ffug-barchusrwydd a barusrwydd, yn y Gymru wledig, ymhlith y Cymry yn Llundain ac yn y fasnach ddeunyddiau. Er iddo sgrifennu ambell stori a nofel 'Gocni' hefyd, un pwnc sylfaenol oedd ganddo ac, er i rym y sgrifennu a'r effaith leihau dros y blynyddoedd, fe gadwodd at daro'r un tant.

Mae stori o'r Eisteddfod Genedlaethol yn dangos maint y casineb ato. Yn 1924, ym Mhontypŵl, roedd dewiswyr yr arddangosfa gelf wedi gofyn am lun gan yr artist enwog o Abertawe, Evan Walters. Fe gynigiodd yntau ei bortread o Caradoc Evans. Y canlyniad oedd bygythiad dienw i'w ddifrodi. Fe gafodd ei wrthod yn y diwedd, oherwydd 'problemau yswiriant'. Fe fu protestio adeg Eisteddfod Machynlleth yn 1937 hefyd ar ôl i Caradoc Evans, yn rhyfeddol, gael ei ddewis yn feirniad rhyddiaith a mynd ati ar unwaith yn y papurau i ddifrïo llenyddiaeth Gymraeg am gael ei mygu gan weinidogion.

Tua'r un cyfnod, roedd beirdd Cymraeg fel Cynan, W J Gruffydd a Prosser Rhys (yn Eisteddfod Pontypŵl) hefyd yn sigo rhywfaint ar seiliau'r Gymru Gymraeg Anghydffurfiol. Ond roedd gwaith Caradoc Evans, fel ei gymeriadau, yn fwy ciaidd a'i drosedd yn ddwysach oherwydd iddo sgrifennu yn Saesneg. Fe gafodd *My People* adolygiadau canmoliaethus ym mhapurau a chylchgronau Llundain ac, o hynny ymlaen, roedd Caradoc Evans ei hun yn barod i berfformio i blesio ei gynulleidfa a mynnu bod ei straeon yn hollol wir. Fe roddodd drwydded i awduron eraill llai dilys a deallus ac i feirniaid o'r tu allan barhau i bortreadu Cymru yn wlad gyntefig, ddi-foes.

Ond beth oedd yn ei yrru?

Yn ôl ei stori ei hun, tynged ei fam oedd un o'r prif resymau. Ac yntau wedi cael ei eni mewn tŷ o'r enw Pant-y-Croi yn Llanfihangel-ar-arth ar un ochr i afon Teifi, fe fu farw ei dad yn ifanc ac fe symudodd y teulu i Lanlas Uchaf yn Rhydlewis, ar yr ochr arall. Enw eironig Rhydlewis yn y straeon ydi 'Manteg'. Yno, meddai, roedd ei fam yn byw o'r llaw i'r genau ac yn cael cam gan y Sefydliad – yr Anghydffurfwyr a'r ffermwyr cefnog. Yn ôl ei stori ei hun, roedd ei ewythr wedi cael benthyg arian ganddi a heb ei dalu'n ôl; roedd hi hefyd wedi cael ei thaflu o'r capel am fethu â chyfrannu digon. Fe fyddai'r ewythr a gweinidogion a phregethwyr yn ymddangos yn ei straeon mewn lled-bortreadau ffyrnig. Dydi'r stori ddim yn cyd-daro ag atgofion pobl eraill na rhai o'r ffeithiau chwaith.

Y beirniad llenyddol, John Harris, a wnaeth fwyaf i ddatrys y dirgelwch ar ôl blynyddoedd o waith caled, manwl, yn astudio dogfennau a siarad gyda phobl oedd yn cofio Caradoc Evans. Yn ei fywgraffiad, *The Devil in Eden*, mae'n dangos mai chwedl i raddau helaeth oedd stori Dafi Lanlas. Nid celwydd chwaith: mae'n bosib fod Caradoc Evans ei hun yn ei chredu.

Mae'n wir fod trafferthion y teulu wedi dechrau gyda marwolaeth y tad. Roedd William Evans yn arwerthwr ac, fel Mary 'Mali' Powell, mam Caradoc, yn dod o deulu cymharol gefnog. Ond roedd hefyd yn yfwr ac yn Eglwyswr a doedd ei deulu yng nghyfraith ddim yn hapus. Cyn iddo farw, yn Ionawr 1882, roedd ei wraig wedi ei adael; yn ôl un stori, ef oedd yr olaf i gael cosb gyhoeddus y ceffyl pren yn Rhydlewis oherwydd anffyddlondeb.

I wneud pethau'n waeth, un o weithredoedd busnes William oedd gwerthu fferm o'r enw Cwmgeist ar ôl i'r tenant gael ei droi oddi yno am bleidleisio yn erbyn ei landlord Torïaidd yn Etholiad 1868. Pan fu farw tad Mary Powell, chafodd hi ddim dimai ar ei ôl, o bosib oherwydd William.

Yr ewythr yn chwedl Caradoc yw brawd ei fam, Joshuah Powell, meddyg uchel ei barch ac, yn ôl pob stori arall, dyn digon caredig. Yn ôl John Harris, nid benthyg arian gan ei chwaer a wnaeth ond gofalu am gartref iddi, yn Lanlas Uchaf, a pharhau i'w chefnogi wedyn. Ond ef oedd yr etifedd ac roedd Caradoc yn gweld ei fam yn ddibynnol arno. Yn ôl John Harris, un posibilrwydd arall ydi fod Josiah wedi gwrthod talu am addysg i'w nai.

Y dirgelwch arall ydi'r gweinidog a'r 'schoolins' (yr ysgolfeistri) yn straeon Manteg. Yn Rhydlewis, roedd yr ysgolfeistr, Glanceri (Sais o'r enw J N Crowther a ddysgodd Gymraeg a dod yn gefnogwr brwd i'r diwylliant), a'r gweinidog David Adams yn ffrindiau. Roedd rhai fel Moelona yn uchel eu parch atyn nhw a does dim yn eu hanes i'w weld yn cyfiawnhau ymosodiadau Caradoc Evans. Mae'n ymddangos bod Dafi Lanlas yn edmygu Glanceri ond yn ddifrïol am ei olynydd yn yr ysgol. Does dim tystiolaeth o ffynonellau eraill am gamymddwyn gan David Adams na chwaith, meddai John Harris, fod Mali Evans wedi'i thorri o gapel Hawen tros fethu â chyfrannu'n ariannol.

Yn ei berthynas â Moelona y mae un allwedd posib arall i ddicllonedd Caradoc Evans. Pan oedd hi ar gyfnod prawf yn ddisgybl-athrawes, roedd yntau'n fonitor; pan gafodd hi ei chadarnhau yn ei swydd, fe gafodd gynnydd cyflog, o 2/- (10c) yr wythnos i 3/-. Pan ofynnodd Dafi Lanlas am gynnydd tebyg, er bod ei ewythr yn gadeirydd Bwrdd yr

Ysgol, fe gafodd ei gais ei wrthod. Aeth Moelona yn ei blaen i gymhwyso'n athrawes, ond fe bwdodd yntau. Merch y fferm yn llwyddo, mab y bwthyn yn methu.

Mynd yn brentis draper yng Nghaerfyrddin oedd y cam nesaf iddo ef ac fe arhosodd yn y diwydiant am sawl blwyddyn, yn gweithio ar wahanol adegau yn Nociau'r Barri, Caerdydd a Llundain. Fe roddodd y siopau, eu gwaith caled, undonog, a'u perchnogion barus ddeunydd newydd i'r Cymro, tra oedd parchusion Cymry Llundain – gan gynnwys Lloyd George – yn gyfle i ymosod eto ar ragrith a duwioldeb gwneud. Yn y diwydiant defnyddiau y datblygodd ei sosialaeth a'i awydd i ddechrau sgrifennu.

Trwy gyrsiau cyfansoddi mewn sefydliad o'r enw The Working Man's College y dechreuodd hynny, gyda Chymro o Lanbed, Donald Davies, yn annog ei sgrifennu a'i undebaeth. Yn ôl hwnnw, roedd Caradoc Evans yn barod i ddigio, ond yn maddau hefyd; roedd tristwch yn ddwfn ynddo. Erbyn 1905, roedd wedi llwyddo digon wrth sgrifennu straeon i bapurau newydd nes mentro rhoi'r gorau i fod yn siopwr ac, ar ôl tair blynedd galed, fe gafodd amrywiaeth o swyddi newyddiadurol gyda chwmni Amalgamated Press ac wedyn gan y cylchgrawn *Ideas*. Ar ganol ei bedair blynedd yno y cyhoeddodd *My People*. Fe ddaeth llwyddiant mawr am ychydig flynyddoedd, yna cyfnod hesb a haf bach Mihangel gwannach yn yr 1930au.

Fe ddywedodd Caradoc Evans unwaith ei fod yn beirniadu Cymru oherwydd maint ei gariad ati ac mae tystiolaeth ei fywyd ei hun yn dangos ei bod yn berthynas gymhleth. Tua dechrau'r Ail Ryfel Byd, ar ôl cael ei ysgaru gan ei wraig gyntaf a phriodi'r nofelydd Marguerite Barcynska (a oedd yn sgrifennu dan yr enw Oliver Sandys), fe symudodd yn ôl i Geredigion, lle'r oedd hi wrth ei bodd. Byddai ei feirniaid yn dweud ei fod fel ci yn dychwelyd at ei chwŷd ei hun; ond siawns na fyddai wedi bod yn haws iddo aros yn rhyw fymryn o 'seléb' yn Llundain.

Yn Aberystwyth ac wedyn ym mhentref bach New Cross ychydig y tu allan i'r dref, fe ddaeth yn ffigwr adnabyddus unwaith eto, yn ei ddillad trawiadol. Ond roedd yn mynd i'r capel ar y Sul ac ym mynwent New Cross y cafodd ei gladdu yn nechrau 1945.

Fyddai rhai fyth yn maddau iddo am yr hyn a sgrifennodd am Gymru ond, dros y blynyddoedd, mae yna ailystyried wedi bod ar ei waith, yn enwedig y straeon cynnar. Does yr un casgliad o straeon byrion o Gymru'n gyflawn heb yr enwocaf a'r mwyaf dirdynnol o'r cyfan, 'Be This Her Memorial'. Yn honno y mae Nani dlawd yn ceisio crafu ffyrlingau at ei gilydd i brynu Beibl yn anrheg i'w gweinidog cefnog, cyn marw'n symbolaidd o ddychrynllyd.

Yn ôl rhai beirniaid, Caradoc Evans oedd sylfaenydd llenyddiaeth fodern Cymru yn Saesneg, gan chwalu'r ddelwedd fwy rhamantus a oedd wedi ei chreu yn union o'i flaen gan un o nofelwyr mwyaf poblogaidd ei hoes, Allen Raine (Anne Adeliza Puddicombe), un o ddisgynyddion Dafydd Dafis, Castellhywel, a aned yng Nghastellnewydd Emlyn ac a orffennodd ei bywyd yng Nhre-saith yng Ngheredigion.

Fyddai neb bellach yn honni bod Caradoc Evans yn dweud y gwir i gyd am gymdeithas ei ardal ond mae rhai fel Trevor Williams, awdur y gyfrol *Writers of Wales* amdano, wedi crynhoi gwybodaeth sy'n dangos bod digwyddiadau ac amgylchiadau fel rhai Manteg i'w cael yn y Gymru wledig. Mae haneswyr wedi dangos mor galed oedd bywyd i dyddynwyr a gweithwyr fferm yng nghyfnod Caradoc Evans ac, yn fwy fyth, i'r gwragedd. Nid dychymyg llwyr oedd cymharu triniaeth menyw ac anifail yn y stori 'A Heiffer Without Blemish' ac, er bod y darlun yn fwy caredig, mae yna elfen o'r un agweddau at fywyd mewn nofel fodern fel *Martha, Jac a Sianco*. Mae bywyd caled di-ildio'r ddaear yn ystumio eneidiau ym Manteg, fel y gwnaeth ym myd Iago Prytherch R S Thomas.

Crefydd hefyd: mae pobl sy'n fyw heddiw yn cofio merched yn cael eu torri o'r capel am gael plentyn siawns tra oedd ambell flaenor a gweinidog yn pechu. Bellach, mae modd edrych yn fwy beirniadol ar Anghydffurfiaeth yn gyfan a gweld ei phŵer cymdeithasol ac economaidd, gan gydnabod lle'r oedd rhagrith a lle'r aeth rheolau arwynebol yn bwysicach nag egwyddor.

Tra oedd defnydd Caradoc Evans o iaith wedi achosi mwy o dramgwydd i rai hyd yn oed na'r cynnwys, mae beirniaid fel M Wynn Thomas wedi dangos grym honno. Nid Cymraeg trwy'r Saesneg mohoni, ond iaith oedd wedi ei chreu er mwyn y straeon, yn dwysáu'r teimlad o fyd caeedig ar un llaw ac yn chwyddo awdurdod dychrynllyd y capel ar y llall. Iaith wedi ei hystumio ydi hi; enghraifft eithafol o'r math o ddyfeisgarwch a ddangosodd Caradog Prichard, yn *Un Nos Ola Leuad*, gwaith arall a ddangosodd ochr dywyll cymdeithas a oedd wedi ei gorfawrygu.

Fel Caradog Prichard, un stori oedd gan Dafi Lanlas hefyd. Y funud yr oedd honno wedi ei dweud, roedd y diafoliaid fel petaen nhw wedi eu taflu oddi ar ei gefn a gwannach oedd ei weithiau wedyn. Fel yn achos Caradog Prichard, roedd ei fam yn ddylanwad anferth – yn ôl ffrindiau, roedd yn meddwl y byd ohoni hi ac o frawd methedig. Fel yn achos rhyddiaith Gymraeg ar ôl *Un Nos Ola Leuad*, fyddai llenyddiaeth Saesneg Cymru fyth mor ddiddannedd ar ôl cyhoeddi *My People*.

Tywysog Tir na n-Og

Idwal Jones, 1895–1937

Golygfa 1

Tŷ'r Ysgol, Pontarfynach, gogledd Ceredigion tua 1926–27. Mae cyfaill o'r enw Dai Williams, Tregaron, yn aros gydag Idwal Jones, yr ysgolfeistr. Daw cnoc ar y drws. Cyfyd Dai a mynd i'w ateb. Merch fach sydd yno, un o blant yr ysgol.

Merch: Ydi'r mishtir i mewn?
Dai: Ydi.
Merch: A wnewch chi ofyn iddo fe am ddod mas i whare gyda ni?

Dim ond am ryw bedair blynedd yr oedd Idwal Jones yn ysgolfeistr ym Mhontarfynach ond, fel ymhobman arall y bu byw erioed, fe adawodd lwyth o straeon ar ei ôl. Ac roedd y straeon yn wir mewn ffordd ddofn iawn; roedd ei gymeriad a'i gyfraniad i fywyd Cymru yn un.

Y bardd Gwenallt sydd wedi cofnodi llawer o'r straeon hynny mewn cofiant a gafodd ei gyhoeddi yn 1958, un mlynedd ar hugain ar ôl marwolaeth Idwal Jones o'r diciáu. Roedd y ddau yn fyfyrwyr yng Ngholeg y Brifysgol, Aberystwyth, y fan lle datblygodd y digrifwr a'r dramodydd ei dalent am hwyl, parodïo a thynnu coes gan newid adloniant Cymraeg ar yr un pryd.

Golygfa 2

Siop ddillad menywod yn Aberystwyth. Daw gwraig dal, drwsiadus a gosgeiddig i mewn a chyfarch y ferch sy'n gweithio yno.

Gwraig: Licen i ga'l fy ffito ar gyfer corset.
Merch: Wrth gwrs, madam. Gadewch i fi eich mesur chi.

Ymhen ychydig funudau, daw'n amlwg fod y wraig yn cael trafferth i beidio â chwerthin, a rhuthra allan o'r siop.

Idwal Jones oedd y wraig ac nid dyna'r unig dro iddo wisgo dillad menyw er mwyn cael hwyl. Er bod dynion wedi eu gwahardd o neuaddau'r merched yn y coleg ddechrau'r 1920au, fe gafodd y wraig drwsiadus ymweliad personol â stafell ei 'nith'. Yn ôl fersiwn arall o'r stori, roedd wedi esgus bod yn werthwraig corsetiau.

Y darlun y mae Gwenallt yn ei gofio yw o Idwal Jones yn cerdded ar hyd y stryd a dau neu dri o fyfyrwyr yn gwmni iddo, yn chwilio am ryw felltith i'w wneud. Ac, wrth fynd, mae'n siŵr y byddai sylwadau ffraeth yn tasgu o'i feddwl chwim.

Golygfa 3

Tref yn yr Almaen yn 1933. Mae mintai o Gymry yno, ar ymweliad â drama Oberammergau. Safant o flaen tŷ.

Tywysydd: Dyma'r tŷ lle ganed y dyn a ddyfeisiodd yr Aspirin.
Idwal Jones: Beth am osod tabled i'w gofio?

Er bod y *Cydymaith i Lenyddiaeth Cymru* yn dweud mai dwy o ddramâu hir Idwal Jones oedd ei weithiau 'pwysicaf' – *Pobl yr Ymylon* ac *Yr Anfarwol Ifan Harris* – ym maes adloniant ysgafn yr oedd ei ddylanwad mwyaf.

Yn ôl Gwenallt, y dyn o Lanbed oedd y cyntaf i gyhoeddi limrigau Cymraeg ac, o bosib, y cyntaf i'w sgrifennu nhw hefyd. Fe osododd batrwm ar gyfer caneuon ysgafn, a fyddai'n cael ei ddilyn gan rai fel Triawd y Coleg a phartïon noson lawen ar hyd a lled y wlad, a phan oedd yr amheuwyr yn dweud na fedrai'r Gymraeg gynnal rhaglenni radio ysgafn, Idwal Jones a ddangosodd sut i wneud.

'Idwal Jones, Llanbed' yr oedd pawb yn ei alw ond efallai y byddai 'Idwal Jones, Felin-fach' lawn mor gywir. Roedd yn dweud ei hun mai o'r ardal honno yn Nyffryn Aeron y cafodd lawer o'i ysbrydoliaeth. Roedd ei dad wedi bod yn brifathro yno am rai blynyddoedd ac un o'r ardal oedd ei fam. Yn iawn am y 'pechod' o symud i Lanbed cyn geni Richard Idwal Mervyn Jones, roedd Mary Jones yn llenwi'r cartref â straeon am y dyffryn a'i gymeriadau.

Dehongliad Gwenallt ydi fod Dyffryn Aeron wedi osgoi llawer o effeithiau sych-syber y Diwygiad Methodistaidd gan gadw elfen gre' o ddiwylliant y tŷ tafarn. Yn ei waith, mae'r dafarn i Idwal Jones yn lle ar gyfer hwyl. 'Respectability' oedd ei gas beth; roedd yn gwerthfawrogi tân y diwygwyr cynnar ond yn feirniadol o ddiffyg 'llawenydd' byd y capeli. Dychan ysgafn ond miniog ar y byd hwnnw sydd yn *Pobl yr Ymylon*.

Roedd beirdd gwlad Dyffryn Aeron hefyd yn bwysig, yn enwedig John Jenkins, 'Cerngoch', gyda'u canu cymdeithasol a'u canu tynnu coes. Enghraifft o hynny yw'r 'penillion pen drws' a fyddai'n cael eu hadrodd yn yr ardal ar fore priodas – ffrindiau'r priodfab yn galw heibio i dŷ'r ferch ac yn cyfnewid penillion gyda'r rhai y tu mewn, nes cael gwahoddiad i ymuno â nhw. Sgrifennu gweithiau i'w defnyddio i ysbrydoli gweithgarwch cymdeithasol yr oedd Idwal Jones.

Roedd elfennau eraill pwysig yn niwylliant Felin-fach, gan gynnwys rasio ceffylau a throtian, cyfarfodydd cystadleuol ac eisteddfodau bach, ac roedd yna gyfoeth o ganeuon gwerin yn yr ardal hefyd. Mewn eisteddfod yn y coleg ac wedyn i gylchgrawn *Y Ford Gron*, fe greodd ysgrifau am 'Gymeriadau Felin-fach'.

Gan ei dad, David 'Teifi' Jones, yr oedd yn cael ei ffraethineb a'i atebion parod. Ar ôl ymddiswyddo o fod yn ysgolfeistr – oherwydd cyflog gwael – roedd Teifi wedi sefydlu busnes glo yn Llanbed a dod yn ffigwr amlwg yn y dref, yn arweinydd eisteddfodau ac yn Faer. Tawelach oedd mam Idwal ond, yn ogystal â bod yn arlunydd da, roedd hi wedi cyhoeddi ambell stori fer a sgrifennu dramâu – yr ochr arall i'w dalent yntau. Hiwmor swnllyd oedd gan y tad, hiwmor gwylaidd gan y fam.

Roedd y tŷ, mae'n debyg, yn llawn o hwyl a siarad a thynnu coes ac Idwal a'i frawd hŷn, Penri, yn cystadlu ar chwarae ar eiriau. Fe ddysgodd gynganeddu a mynd ati gydag un o'i ffrindiau i sefydlu 'papur newydd' Saesneg doniol, *The North Lampeter Gazette*. Idwal Jones oedd y golygydd a'r gohebydd ar bob pwnc.

Golygfa 4

Rhoslwyn, Llanbedr Pont Steffan. Cartref y perchennog busnes glo, David 'Teifi' Jones. Daw cnoc ar y drws.

Ymwelydd: Ai chi yw Teifi?
Idwal: Nage, un o'r *tributaries* ydw i.

Ers bod yn blentyn bach, roedd wedi dechrau perfformio – adroddiadau digri yn bennaf – ac roedd eisteddfodau lleol a chymdeithas y capel yn cynnig cyfle. Ymhobman, yn y fyddin, y coleg, ym Mhontarfynach ac wedyn wrth sefydlu parti Adar Tregaron, roedd Idwal Jones yn hoff o dynnu pobl at ei gilydd i fwynhau a pherfformio. Hyd yn oed mewn cyfnod anodd yn Affrica adeg y Rhyfel Byd Cyntaf – oedd yn cynnwys pyliau o salwch ac iselder – roedd wedi parhau i gynhyrchu caneuon a sgetsys ar gyfer ei gyd-filwyr a chyfansoddi ei ddrama gyntaf.

Roedd nodweddion ei gymeriad yn gyson hefyd. 'Brilliant rather than accurate' oedd un casgliad amdano mewn adroddiad o ysgol Coleg Dewi Sant yn Llanbed; 'not amenable to discipline' oedd dyfarniad y fyddin. A phan ddaeth yn ôl i Gymru a chael lle yng Ngholeg y Brifysgol, Aberystwyth (ynghynt, roedd wedi gadael yr ysgol a mynd i weithio i fusnes ei dad), roedd yn un o do o gyn-filwyr oedd wedi gweld pethau mawr ac yn gwrthryfela yn erbyn rheolau disgyblaeth lem a phlentynnaidd yr awdurdodau. Un enghraifft oedd ffurfio Cymdeithas y Wasg i fynd â merched i fannau oedd wedi eu gwahardd.

Cyn Idwal Jones, meddai un o'i gyd-fyfyrwyr, Cassie Davies, doedd gan fyfyrwyr Cymraeg ddim caneuon ysgafn i'w canu, ond fe newidiodd hynny. Gyda'r darpar fardd mawr Waldo Williams yn rhannu llety ag ef, fe ddyfeision nhw derm newydd – Idwaldod – am ddoniolwch o'r fath. Cyn Idwal, doedd fawr ddim adroddiadau digri chwaith; 'Idwal Jones a lanwodd y bwlch hwn yn ein diwylliant,' meddai Gwenallt, ac mae'n bosib mai ei sioe, *Eosiaid*, am fywyd coleg oedd yr enghraifft gyntaf o gomedi gerdd Gymraeg. Yn Aberystwyth, meddai Gwenallt eto, 'ni osododd neb ei ddelw mor drwm ar ei fywyd cymdeithasol a diwylliannol ag Idwal Jones'.

Ochr yn ochr â'r darnau ysgafn, roedd yn datblygu ei ddawn fel dramodydd a, hyd yn oed os oedd cynllun y gweithiau yn anystywallt, fe gafodd ganmoliaeth sawl tro am naturioldeb ei sgwrsio. Dyna'r peth gorau am *Toddi'r Iâ* a enillodd yn yr Eisteddfod Gydgolegol gyntaf erioed. Er mai iaith y bobl oedd ynddi hi, meddai'r beirniad, Saunders Lewis, roedd hi hefyd 'yn iaith gain'. 'Y siarad yn ddoniol, yn afaelgar ac yn hollol naturiol,' meddai J Lloyd-Williams am *Yr Anfarwol Ifan Harris*. Roedd hi'n 'eithriadol iawn ei defnydd' a'r cymeriadau 'yn greadigaethau byw'.

Ym Mhontrhydfendigaid y sgrifennodd honno a'i ddrama enwocaf, *Pobl yr Ymylon*, sy'n ymddangos yn hen ffasiwn bellach, wrth gwrs, ond a oedd yn ei dydd yn fentrus. Yn ôl beirniaid yr Eisteddfod Genedlaethol, roedd hi'n 'torri tir hollol newydd' ac 'yn ei syniad ac yn un o'i chymeriadau [hi] yw'r ddrama fwyaf gwreiddiol yn y Gymraeg'. Y plot – y drefn – oedd y broblem unwaith eto. Hyd yn oed heddiw, mae'n fodern yn ei dychan ar ffug-dduwioldeb ac yn ei phrif gymeriad, Mordecai, y twyllwr hoffus. 'Yng nghraidd y gau angerdd y gwir,' fel y dywedodd Waldo mewn cerdd am ei gyfaill. Roedd cymeriad arall yn y ddrama – hen wraig yn canu telyn y tu allan i'r capel – fel petai wedi camu o'i ysgrif am gymeriadau Felin-fach.

Ym Mhontrhydfendigaid, roedd Idwal Jones wrth ei fodd gyda'r plant ond doedd elfennau eraill o fyd addysg ddim yn ei siwtio. Actio a chanu a hybu creadigrwydd y plant oedd yn mynd â'i fryd a phan gafodd ei feirniadu gan Arolygwr am fynd â'r plant i eisteddfod mewn ysgol arall – heb ddweud wrth y Cyngor Sir – fe benderfynodd ymddiswyddo.

Erbyn hynny, beth bynnag, roedd ei iechyd yn torri. Wrth gael prawf cyn mynd i hyfforddi i fynd yn athro roedd wedi cael clywed am gysgod ar ei ysgyfaint. Gyda'r Rhyfel Mawr hefyd wedi amharu ar ei iechyd, fe fyddai'n wynebu blynyddoedd o ddihoeni. Fe fu'n darlithio gyda'r Adran Efrydiau Allanol yn Aberystwyth ac yn sgrifennu toreth o sgriptiau i Sam Jones yn y BBC; fe drefnodd barti Adar Tregaron i berfformio'i ganeuon ac roedd hi'n ymddangos y gallai fod wedi gwneud bywoliaeth yn llwyr trwy ei sgrifennu. Ond gobaith coll oedd hwnnw.

Mae edrych trwy dudalennau *Cerddi Digri* a *Cerddi Digri Newydd* yn rhoi darlun teg o'i ddigrifwch – hiwmor crafog ond caredig, yn llawn dwli'r pethau bach... adroddiad gan rywun ag annwyd, hen lanc oedd yn methu â siarad â babi ond yn gyfforddus yn cyfarch ei gi... chwarae ar eiriau... Hiwmor troeon trwstan ac anghyfforddusrwydd cymdeithasol ydi llawer o hiwmor Idwal Jones, anawsterau bywyd, y mân ragrithio a'r anghymharus, caneuon oedd yn tynnu'r gynulleidfa i ymuno yn y cytgan. Mae rhai'n cael eu canu o hyd – 'Siani tyrd i ganu', 'Mae'r Nadolig yn nesáu' – efallai heb i bobl sylweddoli pwy oedd eu hawdur.

Roedd y cyfan yn cael ei glymu gan dalent lithrig a chlust fain. Ymhlith dwsinau o enghreifftiau o odlau dwbl a threbl, mae Cassie Davies yn dyfynnu un, o gerdd am fyfyriwr aflwyddiannus a aeth i gadw siop tsips yn y Rhondda: 'Fan draw yn y dripin y bydd e am dipyn', y geiriau pathetig yn ddrych o dynged y dyn.

Er iddo sgrifennu campwaith o sgit, *My Piffle*, ar gyfrol ddadleuol Caradoc Evans, *My People*, ac er bod Gwenallt yn pwysleisio'i ddifrifoldeb cynhenid a'i safonau moesol llym, nid dychanwr caled oedd Idwal Jones. Doedd ganddo ddim o'r 'dicter moesol' i hynny, yn ôl ei hen ffrind. 'Comedïwr, parodïwr a bwrlesgwr oedd ef', ac, yn ei ddydd, yr unig un o'i fath. Mae rhai o eiriau cerdd ei hen ffrind arall, Waldo, yn crynhoi ei anian – 'galon gywir', 'isel dywysog yn ein Tir Na n-Óg', 'dy chwerthin, gwin gwydr', 'diogel faddau, dy gelfyddyd'.

Fe allai fod wedi byw'n ddigon hir i gyfrannu i fyd y teledu; fe fyddai'n sicr wedi bod yn gonglfaen gwasanaeth radio Cymraeg ac mae'n bosib y byddai wedi sgrifennu ambell ddrama fawr. Ond am flwyddyn olaf ei fywyd, roedd fwy neu lai'n gaeth i'r gwely ac, er gwaethaf ei salwch a'i flerwch diarhebol, wedi rhoi trefn ar ei weithiau mewn cyfres o ffeiliau lliwgar.

Golygfa 5

Ystafell wely yn Rhoslwyn, Llanbedr Pont Steffan. 1937. Mae Idwal Jones yn ei wely a'i gyfaill a'i gofiannydd D Gwenallt Jones wrth erchwyn y gwely a syndod yn ei wyneb.

Gwenallt: Wel, Jones, rwyt ti wedi mynd yn wyrthiol o daclus.

Idwal: Y mae'r argraff ar led fy mod i yn greadur anniben iawn. Camgymeriad, Jones, camgymeriad mawr.

Gwenallt: Ond rwyt ti wedi cael tröedigaeth... yn wir, 'weles i eriôd ddim mor lliwgar ac artistig â'r ffeiliau fan hyn.

Idwal: Eitha gwir. Rwyf wedi mynd yn greadur ffeiledig iawn.

Torri cwys mewn daear sâl

Cassie Davies, 1898–1988

'Aeth y Blaid â'i henaid hi,
Aeth ei heniaith â'i hynni'

Dic Jones

LLAIS AR Y radio oedd hi. Llais oedd yn mynnu sylw, yn fwrlwm o eiriau a ffraethineb. Ac roedd angen ffraethineb i ddal eich tir yn un o banel De Cymru ar y rhaglen ysgafn *Penigamp* erstalwm. Panel Ceredigion oedd hwn mewn gwirionedd: y tri arall oedd y ddau fardd bachog, Dic Jones a Tydfor Jones, a'r fenyw gyforiog o dafodiaith a dywediadau, Marie James Llangeitho. Jacob Davies, Cardi arall, oedd yn y gadair.

Felly y daeth llawer o Gymry yn wirioneddol gyfarwydd â Cassie Davies, Tregaron, a hithau erbyn hynny yn ei 70au. Roedd pawb oedd ynghlwm wrth faterion cenedlaethol ac addysg yn ei hadnabod yn dda ers blynyddoedd ac, yn ei hardal, roedd hi'n frenhines. Roedd hi'n nodweddiadol o fath o fenyw sydd i'w chael yng Ngheredigion: rhai sy'n arwain ac ysgogi, ynghanol popeth yn eu bro, yn fath o ysgolfeistres ar gymdeithas gyfan.

Mae'r gymhariaeth yn addas. Trwy hyfforddi athrawon ac wedyn trwy ei gwaith yn Arolygydd Ysgolion y gwnaeth Cassie Davies ei marc mawr; hi oedd un o'r ymgyrchwyr cryfaf yn ei chyfnod tros addysg Gymraeg, gan osod seiliau ar gyfer twf y sector yn y blynyddoedd yn union wedi iddi hi ymddeol. Fe arhosodd ei neges hi'n gwbl gyson ar hyd ei hoes: rhaid i'r Gymraeg fod yn rhan o addysg ddiwylliannol ehangach; dysgu plant am eu diwylliant a'u hanes fyddai'n eu hysbrydoli i ddysgu Cymraeg hefyd.

Mewn erthygl yng nghylchgrawn arloesol *Heddiw* yn 1936, fe ddywedodd hyn: '... dyma ein hangen mawr – gweld mai *un* peth crwn yw bywyd cenedl, neu a ddylai fod, lle y bo cenedl yn byw ei bywyd ei hun yn iach...' Yn ei hunangofiant, *Hwb i'r Galon*, a gyhoeddwyd yn 1973, roedd ei neges yn union yr un peth. Yn ei hanfod, yr un oedd neges gynharach O M Edwards; roedd Cassie Davies yn un o'i etifeddion.

Dau beth oedd wedi ei hysbrydoli: ei chysylltiad gydag arweinwyr cenedlaethol fel Saunders Lewis a D J Williams a dylanwad ei hardal ei hun, Blaencaron – cymdogaeth yn fwy na phentref, ar y ffordd o Dregaron i fryniau anial Elenydd. Roedd ei theulu wedi bod yno yn fferm Cae Tudur ers cenedlaethau a'r hanes oedd fod Williams Pantycelyn yn arfer aros yno ar ei ffordd i Langeitho i helpu Daniel Rowland gyda'r Cymun mawr bob mis.

Roedd teuluoedd yn fawr yn y dyddiau hynny, wrth gwrs, a Cathrin Jane Davies yn wythfed o ddeg o blant, chwech o fechgyn a phedair merch. Ym Mlaencaron yn ei phlentyndod hi, roedd digon o bobl i gynnal dau gôr ac roedd ei thad yn un o'r arweinwyr, yn cynnal ysgol gân. 'Canu nid ffermio oedd ei ddiléit,' meddai Cassie ei hun ac fe fyddai'r teulu hefyd yn ffurfio pedwarawdau a hyd yn oed wythawdau i berfformio a chystadlu'n lleol. Un oedd yn 'tanio fel matsien' oedd ei thad; un 'bwyllog, sicr ei barn a diogel ei chyngor' oedd ei mam.

Flynyddoedd wedyn, adeg yr Ail Ryfel Byd, roedd Cassie Davies yn cofio bod mewn cyfarfod ym Mlaencaron pan oedd bygythiad y byddai'r Weinyddiaeth Amddiffyn yn meddiannu tir a ffermydd yno, fel y gwnaethon nhw ar yr Epynt. Roedd y gymdogaeth wedi casglu'n grwn ar lofft tŷ capel Blaencaron a dyna'r tro cyntaf, meddai, y teimlodd 'hyd graidd fy enaid' beth oedd gafael tir ar bobl oedd yn byw arno ac yn brwydro gydag ef ar hyd eu hoes.

Saesneg oedd iaith ysgol fach Blaencaron ac Ysgol Sir Tregaron dair milltir i ffwrdd ond, yno, fe gafodd athro Cymraeg, Saesneg a Hanes oedd yn gwreiddio popeth yn y fro. Yng Ngholeg y Brifysgol yn Aberystwyth, roedd ynghanol rhai fel y diddanwr Idwal Jones, Llanbed, a ddaeth yn fyfyrwyr ar ôl ymladd yn y Rhyfel Mawr. Roedd Cassie ynghanol y gweithgarwch arloesol a ddigwyddodd o ran adloniant a chymdeithasu bryd hynny, pan gynhaliwyd yr Eisteddfod Gydgolegol gyntaf a hithau'n un o'r trefnwyr. Roedd ôl y pethau hyn i gyd i'w weld ar ei bywyd wedyn.

Ar ôl gwneud gradd Saesneg, Prifathro'r Coleg – J H Davies o deulu Cwrt Mawr, Llangeitho – a ddylanwadodd ar ei thad i ganiatáu iddi wneud gradd Gymraeg hefyd ac roedd hynny, eto, yn allweddol. O hynny ymlaen, hyrwyddo'r Gymraeg ym myd addysg fyddai gwaith ei bywyd. Ac ar ôl blwyddyn anhapus yn dysgu yn Seisnigrwydd Ysgol Ramadeg y Merched yng Nghaerfyrddin, fe gafodd gyfle i ddechrau ysbrydoli yng Ngholeg Hyfforddi'r Barri. Yno, gyda chefnogaeth y Pennaeth Elen Evans, roedd pob un o'r darpar athrawesau yn cymryd Cymraeg ar ryw lefel, o 'Gymraeg babi' i'r Cwrs Uwchradd. Fe fu hi'n arloesi, er enghraifft, gyda chwrs gwaith llafar lle'r oedd y myfyrwyr ar y diwedd yn perfformio rhaglen o waith, ond roedd ei phrif bwyslais ar osod Cymraeg yn rhan o fyd crwn, diwylliannol.

Sawl tro, mewn ysgrifau, sgyrsiau a phamffledi, fe fyddai'n cyfeirio gyda balchder at Ysgol Sain Niclas ym Mro Morgannwg lle'r oedd Cardi o'r enw Jenkins yn ysgolfeistr ac wedi cael ei danio gan sylw ei bod hi'n amhosib dysgu Cymraeg i blant o gefndir Seisnig Bro Morgannwg. Wrth ddysgu ac ysbrydoli'r plant ynghylch eu cefndir, fe wnaeth y Gymraeg yn rhan o'r broses honno a chael llwyddiant ysgubol.

Yn ysbryd ei hen ffrind Idwal Jones, roedd perfformio yn rhan bwysig o ddulliau dysgu Cassie Davies, a thrwy hynny, fe adawodd un marc parhaol ar yr Eisteddfod Genedlaethol. Roedd wedi cael ei hysbrydoli gan ymweliad côr llefaru o Loegr i sylweddoli bod corau adrodd yn ffordd effeithiol o gyflwyno barddoniaeth a llenyddiaeth. Fe sgrifennodd erthygl bapur newydd am y syniad a'r dechneg, a phan oedd yn aelod o Bwyllgor Drama ac Adrodd Eisteddfod Caerdydd 1938, fe lwyddodd i gael cystadleuaeth côr adrodd ar y rhaglen. Dim ond dau gôr fu'n cystadlu y flwyddyn honno – côr o'i myfyrwyr hi ac un o dan adain ei chwaer, Neli Davies. Côr Neli oedd yn fuddugol.

Tra oedd hi'n datblygu ei gyrfa, roedd Cassie Davies hefyd wedi dod yn un o gonglfeini'r Blaid Cymru newydd, a hithau'n un o'r aelodau yn yr Ysgol Haf gyntaf i gyd yn 1926. Tra oedd yn y Barri, fe·sefydlodd gangen o'r blaid a chroesawu dyn ifanc lleol o'r enw Gwynfor Evans yn aelod ohoni. Profiad mawr arall oedd bod ym Mhafiliwn Caernarfon adeg rhyddhau tri Penyberth – Saunders Lewis, D J Williams a Lewis Valentine – o'r carchar ar ôl llosgi'r Ysgol Fomio yn Llŷn. 'Digwyddodd rhywbeth y tu mewn i mi na allaf mo'i esbonio,' meddai.

Fe fu'n rhaid rhoi'r gorau i'r gwaith gwleidyddol

cyhoeddus pan gafodd gynnig i fynd yn Arolygydd Ysgolion yn 1938. Roedd yn cyfaddef ei bod wedi poeni'n hir uwch y penderfyniad ond fod Saunders Lewis ei hun wedi'i pherswadio bod swydd felly o dragwyddol bwys. Yn ôl hanesydd y menywod yn y gwasanaeth hwnnw, Sian Rhiannon Williams, fe fyddai hi 'yn un o brif yrwyr y polisi Cymraeg o fewn yr arolygaeth... ei chenhadaeth oedd sicrhau bod y system addysg yn cyflawni'r gwaith o gynnal y genedl a'r Gymraeg yn iaith swyddogol iddi'.

Yn unol â'i hanian, roedd Cassie Davies wrth ei bodd yn ymweld ag ysgolion ac yn trefnu gweithgareddau ar gyfer athrawon; roedd hi'n llawer llai hapus gyda'r gwaith papur ac, yn arbennig, y gwaith archwilio adeiladau. Fe ddywedodd yn blaen nad oedd hi'n ffit i wneud y fath beth ac y dylai pobl eraill gael y cyfrifoldeb hwnnw. Elfen rwystredig arall oedd y symud cyson – i chwe ardal wahanol o fewn 21 o flynyddoedd, i ddechrau yn Arolygydd Cynorthwyol ac wedyn yn HMI llawn.

Roedd rhai ardaloedd yn siwtio'n well na'i gilydd – bywyd diwylliannol Meirionnydd, er enghraifft, yn rhoi modd i fyw iddi ond gwaith yn y Cymoedd yn rhwystredig o weld y colli cyfle. Mae'n sôn, er enghraifft, am 6,000 o rieni ardal Glynebwy'n arwyddo i ddangos eu bod eisiau addysg Gymraeg i'w plant pan ddaeth yr Eisteddfod yno yn 1958, ond dim yn digwydd o ganlyniad. Yn y Rhondda, teimlo siom yr oedd hi oherwydd cyflwr y Gymraeg o'i gymharu â'r hyn y gallai fod. Yn 1920, meddai, roedd yr Awdurdod Addysg wedi cefnogi polisi blaengar iawn a fyddai wedi creu ysgolion Cymraeg a sicrhau bod pob plentyn meithrin a babanod yn cael eu dysgu trwy gyfrwng yr iaith. Ond methu wnaeth hwnnw hefyd.

Mae llawer o'r hyn a ddywedodd Cassie Davies rhwng yr 1930au a'r 1950au yn berthnasol ddegawdau wedyn.

Ysgolion naturiol Gymraeg oedd orau ganddi hi. Roedd ysgolion cymysg eu hiaith yn anodd; eu troi nhw'n Gymraeg oedd yr ateb; ail ddewis oedd creu ysgolion Cymraeg ychwanegol. A thrwy'r amser, roedd hi'n pwysleisio'r angen am wreiddio iaith ac addysg mewn hanes a diwylliant wrth baratoi dinasyddion da.

'Beth a olygwn ni wrth fod yn ddinesydd da o Gymru?' meddai yn yr erthygl yn *Heddiw* yn 1936. 'Yn sicr nid yw'r dyn a ŵyr nemor ddim am hanes a daear ei wlad, na fedr siarad ei hiaith na darllen ei llenyddiaeth, ddim yn un o'r cyfryw. Na chwaith yr un na fyn gadw harddwch ei bro, a pharchu cysegredigrwydd ei delfryd a'i thraddodiad.'

Roedd ei phrofiad yn y Barri – ac o weld ysgolion fel Sain Niclas – hefyd yn golygu nad oedd am anobeithio am yr iaith yn ardaloedd diwydiannol y De, er nad oedd 'dim yn fwy truenus,' meddai, 'na'r dirywiad mewn diwylliant ac iaith' oedd yn digwydd yno. Hynny mewn erthygl arall yn *Heddiw* yn 1937 yn dadlau'n frwd yn erbyn Ifan ab Owen Edwards, sylfaenydd yr Urdd a mab i un o'i harwyr, O M Edwards.

Yn y *Western Mail*, roedd yntau wedi awgrymu mai'r unig ffordd i ysbrydoli plant a phobl ifanc ddi-Gymraeg oedd dysgu am hanes a diwylliant trwy gyfrwng y Saesneg. Iddi hi, roedd hunaniaeth ac ysbryd cenedlaethol yn mynd gyda'r iaith ac roedd hi hyd yn oed yn awgrymu bod colli'r Gymraeg hefyd yn cael effaith ar amgylchiadau cymdeithasol a, hyd yn oed, economaidd. 'Dylai achub yr iaith fod yn amcan pendant' gan yr Urdd, meddai wrth 'Mr Edwards'; fe fyddai gelynion y Gymraeg 'yn llawen o'i glywed yn datgan y gellir bod yn ddinasyddion teilwng o Gymru heb yr iaith Gymraeg'.

Fe ymddeolodd o'r Arolygaeth yn 1959, ddwy flynedd cyn i awdurdod addysg sefydlu'r ysgol uwchradd Gymraeg gyntaf a hithau, erbyn y diwedd, yn un o ddau'n gyfrifol am yr iaith ledled y wlad. O gerdd i'w chyfarch yn ei chinio ffarwél y daw'r ganmoliaeth am dorri cwys mewn daear sâl, ac roedd T Llew Jones hefyd wedi dweud na ddeuai 'Neb o wirfodd i roddi / Egni'i hoes fel y gwnâi hi'. Yn 1972, o'i chartref newydd yn Nhregaron, Cwm Tudur, roedd hi'n pwyso am droi ysgol uwchradd y dref yn ysgol Gymraeg, gyda'r un dadleuon yn union ag yr oedd hi'n eu defnyddio yn yr 1930au.

Gyda chwricwlwm newydd i Gymru yn y 2020au, ac mae rhannau o'i gweledigaeth hi'n dod yn ffasiynol eto. Wnaeth hi ddim newid; y drefn sy'n araf yn deall.

Y llais tormentus

Edward Prosser Rhys, 1901–45

AR DRÊN GERLLAW Dyfi Junction o bob man, ym mis Medi 1926, y daeth y nofelydd Kate Roberts ar draws bardd ifanc o'r enw Edward Prosser Rhys am y tro cyntaf. Roedd y ddau ar eu ffordd i Ysgol Haf gyntaf y blaid wleidyddol newydd sbon, Plaid Cymru, ym Machynlleth.

Bron ddeunaw mlynedd wedyn, a hithau'n sgrifennu darn coffa amdano, fe fyddai hi'n cofio am y 'bachgen ifanc swil a distaw' a oedd brin yn codi ei ben i ddweud gair. Ond y dyn ifanc gwylaidd hwnnw, Edward Prosser Rhys, oedd un o feirdd enwocaf Cymru ar y pryd; un a oedd wedi corddi dyfroedd parchus y byd Cymraeg trwy ennill y Goron yn yr Eisteddfod Genedlaethol gyda cherdd oedd yn sôn am berthynas rywiol rhwng dau ddyn.

Yn 1920, yn un o swyddfeydd papur newydd *Yr Herald Cymraeg* yng Nghaernarfon, fe fu yna gyfarfod arall. Roedd Prosser Rhys ar y pryd yn is-olygydd ar y papur newydd a dyn ifanc lleol o'r enw Morris T Williams yn gysodydd yno, yn gyfrifol am roi'r teip yn ei le cyn argraffu. Mae'n eithaf sicr mai disgrifiad o'u perthynas nhw oedd yn y gerdd. Yn 1928, priododd Morris Williams a Kate Roberts ac fe fyddai'r tri hefyd yn cydweithio'n agos am flynyddoedd yn cynnal papur newydd *Y Faner*.

Yn 2022, mae'n anodd amgyffred maint yr helynt a

ddilynodd fuddugoliaeth y bryddest, 'Atgof', yn Eisteddfod Genedlaethol Pontypŵl yn 1924. Erbyn heddiw, mae'n un o gonglfeini hanes llenyddiaeth hoyw yn Gymraeg ond, ar y pryd, roedd hyd yn oed cydnabod teimladau o'r fath yn chwyldroadol.

Doedd hi ddim yn hysbys bryd hynny a oedd y gerdd yn hunangofiannol ai peidio, a doedd dim sôn pwy oedd y 'llanc gwalltfelyn, rhadlon' ynddi. Ond doedd gan ffrind i'r ddau, Caradog Prichard, ddim amheuaeth ac, yn ei hunangofiant, mae'n dyfynnu darnau o'r gerdd wrth sôn am Morris Williams. Yn ei gerdd goffa i Prosser Rhys, mae'n sôn am y 'llanc gwalltfelyn fu'n fwy na brawd na châr' ac am yr 'Archoffeiriaid' yn gosod drain rhwng dail Coron 1924.

Yn union wedi'r Rhyfel Byd Cyntaf, roedd yna newid mawr ar droed yn llenyddiaeth Cymru a beirdd ifanc yn troi cefn ar ramant a chrefyddoldeb y cyfnod o'u blaen a chwifio baner realaeth. Roedd Prosser Rhys ei hun wedi cyhoeddi cyfrol o'r enw *Gwaed Ifanc* yn 1923, ar y cyd â bardd ifanc arall o'r enw J T Jones (John Eilian wedyn), a honno'n cynnwys cerdd hir, 'Y Tloty', gyda darn am grefyddwr parchus yn rhoi plentyn siawns i ferch ifanc. Roedd y darpar farchog, Cynan, hefyd yn ifanc ar y pryd ac wedi cicio dros y tresi gyda'i bryddest 'Mab y Bwthyn', yn sôn am yfed a mwynhau a cherddoriaeth *jazz*. Ond, fel y dywedodd Alan Llwyd, 'cynhyrfu'r dyfroedd a wnaeth Cynan, eu chwipio'n dymestl a wnaeth E Prosser Rhys'.

Yn wahanol i lawer o'r gwrthryfelwyr ifanc eraill, nid dyn coleg oedd Prosser Rhys. Roedd y diciáu eisoes wedi effeithio arno gan darfu ar ei yrfa ysgol ac yntau wedi gorfod mynd i chwilio am waith. Ar y pryd, y dylanwad mwyaf arno oedd y cylch o feirdd yn ei ardal, rhai fel J M Edwards ('Y Gweddill'), B T Hopkins ('Rhos Helyg') a

Richard 'Isgarn' Davies, Bardd y Mynydd Mawr, ei brif athro barddol cynnar. Er gwaethaf y disgrifiad o hwnnw, beirdd y Mynydd Bach oedd y rhain, y tir uchel uwchben Aberystwyth, o amgylch ardaloedd Llangwyryfon a Threfenter, lle cafodd Edward Prosser Rees ei eni yn 1901 yn fab i'r gof lleol a'i wraig o bentref Bronnant, ychydig filltiroedd i ffwrdd.

Yn ôl ei sylwadau ei hun, dim ond ei flwyddyn olaf yr oedd wedi ei mwynhau yn ysgol fach wledig Cofadail ac roedd yn anhapus yn Seisnigrwydd Ysgol Ardwyn, Aberystwyth, yn gorfod lojio ynghanol milwriaeth y dref ar ddechrau'r Rhyfel Mawr. Er hynny, ei afiechyd oedd y rheswm tros adael ysgol; cafodd ei anfon i Nant-y-moel yn Nyffryn Ogwr i fod yn glerc yng nglofa'r Ocean, lle'r oedd ei frawd, John, yn goliar. Yno y cafodd glywed mai diciáu yr esgyrn oedd arno ac roedd rhaid iddo golli un o'i fysedd o'r herwydd. Fe fyddai cysgod y ddarfodedigaeth drosto am weddill ei oes.

Yn ôl yng Ngheredigion, ar ôl dechrau cryfhau, fe roddodd byw gartref gyfle iddo sgrifennu a chymryd rhan mewn eisteddfodau a chyfarfodydd llenyddol; roedd yn adroddwr ac yn athro adrodd. Ar ôl ei farwolaeth yn 1945, roedd pobl yn dal i gofio'i weld yn perfformio. Os oedd wedi gorfod rhoi'r gorau i'w addysg, fe ddaeth dan fwy o ddylanwad traddodiad ei ardal, gydag Isgarn yn ei helpu. Bardd lleol arall, Evan Jenkins, Ffair-rhos, oedd wedi newid ei syniadau am lenyddiaeth drwy roi benthyg *Jude the Obscure* gan Thomas Hardy iddo. Yn ôl bywgraffydd Prosser Rhys, Rhisiart Hincks, roedd yn ei weld ei hun yn rhyw fath o Jude, ychydig ar y tu fas.

Erbyn 1917, roedd wedi dechrau cystadlu o ddifri, gan ennill nifer o gystadlaethau yn lleol a chyn belled â Nant-y-moel, lle'r enillodd ei gadair gyntaf. Hysbysebion ym mhapur y gweithwyr, *Y Darian*, oedd yn ei ddenu i gynnig yn eisteddfodau'r De ac, yn y papur hwnnw, yn 1919, y dechreuodd ddenu sylw gyda cholofn 'Chwaon o Geredigion' dan y ffugenw Euroswydd. Maen nhw'n golofnau bachog yn llawn pytiau o newyddion difrifol a chwareus, gan fentro'n gyson i ganol dadleuon y funud.

Yn 1919 hefyd y cafodd swydd am ychydig gyda phapur cefn gwlad Ceredigion, y *Welsh Gazette*, ond fe ddaeth y cam mawr o ran gyrfa – a daearyddiaeth – wrth iddo gael swydd yng Nghaernarfon gyda *Yr Herald Cymraeg*. Yno, fe gafodd ei daflu i ganol cymdeithas arall o lenorion, newyddiadurwyr a ffigurau cyhoeddus a dod yn ffrindiau pennaf a chydletya gyda'r cysodydd, Morris T Williams.

Yn 1921, fe adawodd Prosser Rhys Gaernarfon am Aberystwyth ac, ymhen ychydig, cael swydd Ail Is-olygydd *Y Faner*. Fe ddilynodd Morris Williams ef ymhen dwy flynedd ac ef oedd un o'r bobl a anogodd Prosser Rhys i orffen ei gerdd fawr 'Atgof' a chystadlu yn Eisteddfod Pontypŵl. Yn ôl Prosser ei hun, James Joyce, yr awdur mentrus o Iwerddon, oedd yr ysbrydoliaeth arall gyda'i ddisgrifiadau realistig o fywyd dyn ifanc. Heb ddarllen y nofel, *A Portrait of the Artist as a Young Man*, meddai, mae'n bosib na fyddai'r gerdd wedi cael ei sgrifennu o gwbl.

Nid cerdd am gariad hoyw ydi 'Atgof' ond cerdd am deimladau llanc sy'n cael ei rwygo rhwng cariad 'pur' a Rhyw. Mae'n crybwyll caru â merch hefyd a Rhyw yn ymyrryd â serch a chyfeillgarwch fel ei gilydd. Dim ond awgrym sydd yna o'r cariad rhwng y ddau ddyn – '... hanner-deffro'n dau; A'n cael ein hunain yn cofleidio'n dynn; A Rhyw yn ein gorthrymu...' – ond roedd hynny yn fwy na digon. Doedd llawer o'r beirniaid ddim hyd yn oed yn gallu crybwyll y llinellau tramgwyddus; roedd eraill yn sôn am bethau fel 'syniadau llygredig', 'abnormality' a 'freaks of nature' ac yn cyhuddo'r bardd o ddynwared llenorion Saesneg. Yn ôl Gwili, un o'r beirniaid yn yr Eisteddfod, roedd wedi sgrifennu 'am bechodau na ŵyr y Cymro cyffredin (mi obeithiaf) ddim amdanynt'. 'Mae y gerdd yn gweddu yn well i Sodom a Gomorrah nag i Gymru,' meddai *Y Drych* o ganol purdeb yr Unol Daleithiau.

Beirdd a llenorion ifanc oedd yn amddiffyn Prosser Rhys, rhai fel Iorwerth Peate, Caradog Prichard a J M Edwards, a ddywedodd fod llenyddiaeth Gymraeg wedi camu ymlaen drwy ddatgelu'r gwir. Mae'n debyg mai dyna oedd bwriad Prosser Rhys ei hun: gweld y Gymraeg yn trin pob agwedd ar fywyd mewn ffordd mor ddi-gywilydd â Joyce a D H Lawrence. Er hynny, am bron 20 mlynedd, sgrifennodd y bardd beiddgar fawr ddim cerddi eraill, er gwaethaf awydd i sgrifennu rhagor o ddeunydd ysgytwol. Dim ond ar ôl i'r Ail Ryfel Byd ei gynhyrfu eto y sgrifennodd lond llaw o gerddi'n rhoi cip mwy aeddfed ar yr hyn na fu.

Bardd Coron Pontypŵl a thestun un o ddadleuon llenyddol mwyaf Cymru oedd y dyn ifanc a welodd Kate Roberts ar y trên. Ond fel yr oedd y daith honno i Ysgol Haf y Blaid yn ei awgrymu, gwleidyddiaeth a'i waith newyddiadurol fyddai'n llenwi bywyd Prosser Rhys am weddill yr 1920au a hyd at ei farwolaeth yn 44 oed. Er ei dawelwch, roedd ganddo'r gallu, trwy ei sgrifennu a'i bersonoliaeth, i ddenu pobl i'w ddilyn.

Roedd llawer un, wrth sôn am Prosser Rhys, yn telynegu am ei harddwch a'i apêl. Caradog Prichard, er enghraifft, yn ei hunangofiant *Afal Drwg Adda*: 'Yr oedd mor hardd a hawddgar ag y disgwyliais ei gael... Dyma wyneb bardd os bu un erioed... Syllai'r llygaid gloywon, dwys, yn freuddwydiol arnaf.' 'Ni wn am neb a fedrai dynnu cymaint o bobl ato â'i hynawsedd, ei diriondeb a'i garedigrwydd,' meddai Kate Roberts wedyn. 'Nid adnabûm neb a ferwai drosodd o frwdfrydedd a chylluniau fel ef. A chafodd roddi ffurf ar lawer o'i freuddwydion...'

Ymhlith y breuddwydion hynny, roedd troi *Y Faner* yn bapur cenedlaetholgar – ar ddechrau ei gyfnod gyda hi, roedd yn eiddo i gwmni Rhyddfrydol y Cambrian News. Ac fe agorodd dudalennau'r papur i drafod datblygiadau newydd y dydd, yn radio a recordiau, yn chwaraeon a gwyddoniaeth. Yn ôl D J Williams, Abergwaun, roedd ei golofnau yn *Y Faner* wedi 'deffro Cymru'. Ac yn ei gyfnod ef y dechreuodd Saunders Lewis ar ei golofnau 'Cwrs y Byd'.

Hyd yn oed cyn Plaid Cymru, roedd Prosser Rhys wedi bod yn ymwneud â mudiadau eraill cenedlaetholgar ac fe ddaeth yn aelod o Bwyllgor Gwaith y Blaid yn 1926 ac yn aelod o fwrdd golygyddol ei phapur newydd, *Y Ddraig Goch*. Roedd yn un o'r rhai o fewn y Blaid oedd yn amheus o'i chyfeiriad hi dan ddylanwad rhai fel Saunders Lewis ac Ambrose Bebb; roedd yn mynnu bod angen apelio at bobl werinol, radicalaidd yn hytrach na mynd ar ôl tueddiadau adweithiol 'sy'n cynhyrfu'r cenhedloedd heddiw' – cyfeiriad amlwg at Ffasgaeth. Roedd yn credu mai safbwyntiau'r Blaid at faterion rhyngwladol oedd wedi ei hatal rhag manteisio'n llawn ar losgi'r Ysgol Fomio ym Mhenyberth yn 1936.

Ochr arall ei waith oedd sefydlu Gwasg Aberystwyth yn 1928, yr un flwyddyn ag y priododd. Y nod oedd cyhoeddi llyfrau Cymraeg yr awduron diweddaraf, o nofel ddadleuol Saunders Lewis, *Monica*, i *Traed Mewn Cyffion* gan Kate Roberts a *Cerddi* T H Parry-Williams. Fe ddangosodd ei ben busnes sawl tro hefyd, er enghraifft gyda chyhoeddi 'Cyfres Deunaw', detholiadau cymharol rad o glasuron llenyddol. A dyna symud i gyfeiriad un o'i fentrau mwyaf: Clwb Llyfrau Cymraeg a ddenodd 3,000 o bobl i danysgrifio i lyfrau newydd, y math o lyfrau y byddai'n amhosib eu cyhoeddi heb y sicrwydd gwerthiant. Mewn syniadau felly yr oedd gwreiddiau gwaith Alun R Edwards yn trefnu gwerthu llyfrau o dŷ i dŷ yng Ngheredigion flynyddoedd yn ddiweddarach a, hyd yn oed, Cyngor Llyfrau Cymru.

Erbyn 1935, roedd *Y Faner* yn nwylo Kate Roberts a'i gŵr, Morris T Williams, a hynny'n ddechrau ar ddeng mlynedd o gydweithio agos gyda Prosser Rhys a throi'r papur yn llais cenedlaethol. Fe gymerodd safbwynt dewr yn ystod yr Ail Ryfel Byd, yn gwrthwynebu rhyfel ac imperialaeth ac unbeniaid o bob math ac, o safbwynt Plaid Cymru, o blaid llai 'o bropaganda cyffredinol hirwyntog' a mwy o drafod 'ar bethau o bwys dydd i ddydd i bobl Cymru'.

Roedd hynny i gyd yn gip arall ar yr hyn a gollwyd pan fu farw Prosser Rhys yn nechrau Chwefror 1945. Roedd y diciáu wedi bod yn fwy a mwy o dreth arno dros y blynyddoedd, er ei fod wedi gweithio tan yr wythnosau olaf. Yn ôl Bobi Jones yn 1975, *Y Faner*, Gwasg Aberystwyth a'r Clwb Llyfrau oedd cyfraniad pwysicaf Prosser Rhys ar y pryd. Ond mae pethau wedi newid; mae yna ddiddordeb newydd yn y dyn a aeth ymhellach na neb i dorri hualau moesol llenyddiaeth Gymraeg ac agor cwpwrdd llenyddiaeth hoyw yn yr iaith.

Gwyddonydd mawr, dyn mawr

Evan James Williams (Desin), 1903–45

DYN CYMHAROL IFANC, yn ei ddeugeiniau, yn eistedd wrth fwrdd wrth ffenest. Bob hyn a hyn, fe fyddai'n codi ei bìn sgrifennu i ychwanegu brawddeg neu ddwy neu ychydig ffigurau at y papur o'i flaen. Wedyn gorfod gorffwys, edrych a gwrando ar sŵn y gwynt yn y coed, cyn sgrifennu ychydig eto. Trwy'r ffenest, roedd yn gweld y fynwent lle byddai'n cael ei gladdu ymhen rhyw wythnos neu ddwy.

Dyna'r darlun olaf sydd wedi ei roi o Evan James Williams a fu farw ym mis Medi 1945 yng nghartref ei deulu ym mhentref Cwmsychbant ar ymyl y briffordd rhwng Llanbed a Chastellnewydd Emlyn. Roedd wedi dod adref i ganol ei bobl ei hun ac roedd rhaid gorffen un darn arall o waith. Byddai casgliad mawr o wyddonwyr ac uchel-swyddogion y lluoedd arfog yn ei angladd; yn eu plith, un a fyddai, ymhen tair blynedd, yn ennill Gwobr Nobel.

Roedd pobl Cwmsychbant yn gwybod eu bod yn claddu dyn ifanc disglair iawn, ond ychydig iawn a wyddai beth oedd ei gyfraniad yn llawn. Mewn teyrngedau, fe ddywedodd sawl gwyddonydd y byddai cenedlaethau'r dyfodol yn dod i ddeall am bwysigrwydd ei waith yn yr Ail

Ryfel Byd. Oherwydd natur y gwaith, doedd dim modd ei ddatgelu bryd hynny. Ond fe wyddon ni'n awr.

Nid Dr E J Williams, FRS, a fu farw yng Nghwmsychbant, ond Desin. Dyna'r enw anwes arno ers pan oedd yn blentyn a dyna'r enw yr oedd yn ei arddel ymhlith ei hen ffrindiau a'i gymdogion. Yn ôl y sôn, fe fyddai'n flin os oedd pobl leol yn ei alw'n ddim arall. Mae'r teyrngedau'n sôn am wyddonydd llachar ond hefyd am gymeriad mawr, yn llawn bywyd ac asbri a hwyl. Mae'r ddwy elfen yn amlwg yn yr esboniadau ar y llysenw.

Un eglurhad ydi mai fersiwn o'r gair 'deryn' oedd Desin, am mai felly yr oedd Evan yn ei ddweud pan oedd yn ddim o beth. A 'deryn' yn ddisgrifiad ohono yn nhafodiaith ei fro – cymeriad direidus, annwyl. Yr ail awgrym ydi mai fersiwn o'r gair 'decimal' ydi'r enw – naill ai am fod Desin yn fach neu oherwydd ei fod, yn gynnar iawn yn yr ysgol, wedi dangos ei allu at fathemateg. Yn sicr, yn yr Ysgol Ramadeg yn Llandysul, dyna oedd yr ystyr; mae erthyglau yng nghylchgrawn yr ysgol, *Ad Astra*, yn dangos ei fod eisoes yn enwog am ei ddisgleirdeb a 'Desimal' neu 'Desi' oedd ei enw yno.

Yr un darlun sy'n cael ei roi ohono gan ei gyd-ddisgyblion yn yr ysgol ag a fyddai'n cael ei roi wedyn gan wyddonwyr mewn prifysgolion a labordai trwy wledydd Prydain a thu hwnt – cymeriad cynnes, dadleuwr brwd (gor-frwd weithiau), ymennydd chwim ofnadwy, athrylith mathemategol, un llawn synnwyr direidi a thynnu coes. Fe fyddai Saeson dosbarth canol ac uwch y prifysgolion a'r sefydliad milwrol yn rhyfeddu ychydig at ei ffyrdd ac at ei Gymreictod, yn ei weld fymryn yn ecsentrig. Ond yn cydnabod bob amser ei fod ymhlith y mwyaf disglair ohonyn nhw i gyd.

Mae yna ddwy gyfrol wahanol iawn wedi eu sgrifennu

amdano. Un yn cymryd ei theitl o'r arwyddair mewn sampler a wnïodd ei fam – *Gwell Dysg na Golud* – ac yn disgrifio'r cymeriad a hanes ei deulu. Honno wedi ei sgrifennu gan ddyn o Gwmsychbant, Goronwy Evans, oedd wedi eistedd ar lin Desin pan oedd yn blentyn bach ac a gafodd rai dogfennau personol a oedd wedi eu gadael yn yr hen gartref. Mae'r llall, *Evan James Williams: Ffisegydd yr Atom*, gan y mathemategydd Rowland Wynne, yn disgrifio'n llawn beth oedd ei gyfraniad gwyddonol.

Roedd yna allu yn y teulu; roedd ei fam o'r un cyff â'r pensaer, Frank Lloyd Wright; roedd ei dad yn saer maen (a gododd eu tŷ), roedd un brawd yn wyddonydd pwysig ym maes aerodeinameg a'r llall yn optegydd. Un o'r brodyr a aeth â Desin ar gefn ei foto-beic i sefyll arholiad ysgoloriaeth yn 1919 i fynd i Goleg Prifysgol newydd Abertawe. Y stori oedd ei fod wedi gweld hysbyseb am y cyfle y noson gynt, yn rhy hwyr i'r bws olaf o Gwmsychbant.

Yn naturiol, fe lwyddodd, a disgleirio yn ei waith coleg hefyd. Wrth roi gradd dosbarth cyntaf iddo mewn Ffiseg, fe ddywedodd yr arholwr allanol mai dyna'r papur mwyaf disglair a welodd mewn 25 mlynedd o arholi i Brifysgolion Caergrawnt a Chaeredin. Fe ddilynodd gradd MSc a Chymrodoriaeth gan Brifysgol Cymru, wedyn doethuriaeth ym Mhrifysgol Manceinion ac ysgoloriaeth i Gaergrawnt i weithio yn labordy enwog y Cavendish dan Ernest Rutherford, 'tad ffiseg niwclear'. Erbyn 1930, roedd ganddo PhD o Gaergrawnt a DSc Prifysgol Cymru. Fe fu'n darlithio ym Manceinion ac, am gyfnod byr, yn Lerpwl a chafodd flwyddyn yn gweithio gydag un o wyddonwyr eraill mwyaf y byd, Niels Bohr, yng Nghopenhagen yn 1933. Erbyn 1938 roedd yn Athro Ffiseg yng Ngholeg Prifysgol Aberystwyth, yn dechrau ar waith a allai fod wedi troi'r adran yno yn ganolfan ymchwil o bwys rhyngwladol. Yn

1939, yn 36 oed, roedd yn Aelod o'r Gymdeithas Frenhinol, yn FRS.

Yr hyn a darfodd ar y gwaith atomig oedd yr Ail Ryfel Byd. O ddechrau hwnnw tan ei farwolaeth, fe fyddai Desin yn gweithio ar wahanol ffyrdd o wella gallu lluoedd gwledydd Prydain i atal U-fadau'r Almaenwyr rhag dinistrio llongau masnach a thanseilio ymdrechion rhyfel y Cynghreiriaid. Yn ôl y gwas sifil pwerus, Thomas Jones, doedd neb wedi cyfrannu mwy, a fawr neb cymaint, at orchfygu'r U-fadau tanfor. Heb hynny, meddai eraill, fe fyddai ymdrechion D-Day eu hunain wedi cael eu llesteirio.

Dyna'r ffeithiau moel am yrfa Desin ac, ar bob cam, roedd yn creu argraff ar ei gyd-weithwyr. Roedd ei bennaeth ym Manceinion, Lawrence Bragg, yn sôn am 'egni a bywiogrwydd eirias', am 'afael cyflym a greddfol ar hanfodion unrhyw broblem' ac am ddyn, pe bai wedi byw, 'a fyddai wedi codi yn uwch fyth ac wedi casglu ysgol nodedig o ymchwilwyr o'i gwmpas'. Roedd Bohr ei hun wedi sylwi ar ei allu ac wedi bwriadu gwneud gwaith ymchwil ar y cyd ag ef; yn ôl ei ddirprwy yn Aberystwyth, I C Jones, roedd ganddo 'gryfder corfforol, gallu canolbwyntio a dyfalbarhad y tu hwnt i'r cyffredin'; fe ddywedodd un o'r criw o wyddonwyr disglair o'i gwmpas adeg y rhyfel mai Desin oedd y gorau. Yn ôl y gwyddonwyr Ben Thomas a J E Aubrey, Desin oedd un o feddyliau mwyaf Cymru yn yr ugeinfed ganrif. Roedd pawb yn gytûn ei fod ymhlith gwyddonwyr mwyaf galluog ei genhedlaeth – yn y byd.

Dim ond yn y ganrif hon y mae'r wybodaeth wedi lledu yng Nghymru am bwysigrwydd E J Williams; un esboniad am arafwch hynny ydi cymhlethdod y gwaith atomig a natur sensitif ei waith adeg y rhyfel. Roedd yn rhan o'r chwyldro gwyddonol a ddigwyddodd ym maes yr atom ac mae o leiaf ddwy o'i ddamcaniaethau yn dal i gael eu defnyddio heddiw. Yn ei waith gydag U-fadau, fe helpodd i osod y seiliau ar gyfer math newydd o ddadansoddi gwyddonol sy'n rhan o fywydau pob un ohonon ni.

Fe wnaeth ei farc gyntaf i gyd yn gweithio ar yr hyn sy'n digwydd i belydrau X mewn nwyon ac wedyn ar wrthdrawiadau rhwng gronynnau atomig. Gwrthdrawiadau felly oedd hanfod y ddamcaniaeth gyntaf bwysig sy'n dwyn ei enw, Lledamcan Weizsäcker-Williams, a oedd wedi ei datblygu tra oedd gyda Niels Bohr. Roedd y llall, Lledamcan Bragg-Williams, yn ymwneud â'r ffordd y mae metalau'n cyfuno mewn aloion ac effaith gwres ar un math o aloi. Yn ôl y stori, roedd Lawrence Bragg wedi taro ar y syniad bras a'r un noson, gan weithio tan y bore, roedd Desin wedi gwneud yr holl waith mathemategol i'w brofi.

Fel rheol, meddai'r arbenigwyr, doedd Desin, fel Niels Bohr, ddim yn dibynnu'n drwm ar fathemateg; roedd gan y ddau ohonyn nhw ddealltwriaeth reddfol o ffiseg pethau. Mae gwyddonwyr eraill yn dweud mai un o'r pethau hynod am Desin oedd ei fod yn dda iawn gydag arbrofion ac yn ddamcaniaethwr eithriadol hefyd. Yn ôl Rowland Wynne, roedd y ddau beth yn cydbwyso, yn help wrth benderfynu pa arbrofion i'w gwneud ac wedyn wrth ddadansoddi canlyniadau.

Yn ei gyfnod byr yn Lerpwl, fe ddaeth o fewn dim i fod y cyntaf i ddod o hyd i ronyn is-atomig newydd (fe gyhoeddodd Americanwr waith tebyg ryw fis cyn Desin); yn Aberystwyth, fe wnaeth waith arbrofol yn dangos a chofnodi sut yr oedd y gronyn hwnnw'n dirywio i droi'n ronyn arall o'r enw'r muon, yn debyg i electron ond yn llawer trymach, un o flociau adeiladu'r bydysawd. Dyma'r math o waith sy'n parhau heddiw mewn mannau fel Cern yn y Swistir – roedd Desin ynghanol y gwaith cynnar iawn i ddadelfennu'r atom.

Mae'n siŵr mai yn y maes yna y byddai wedi parhau i weithio oni bai am yr Ail Ryfel Byd a'r angen i'r gwyddonwyr gorau droi eu gallu at wella perfformiad y Cynghreiriaid, o ddatblygu arfau newydd i ddarganfod ffyrdd gwell o'u defnyddio. Y darpar enillydd Nobel, Patrick Blackett, a sicrhaodd fod Desin yn ymuno ag ef yn y Sefydliad Awyrennau Brenhinol (roedd y ddau wedi cydweithio yng Nghaergrawnt).

Y broblem fawr oedd yn eu hwynebu oedd ceisio atal U-fadau tanfor yr Almaen rhag suddo llongau masnach ac achosi difrod mawr i ymdrech y Cynghreiriaid. Yn 1943, fe fyddai'n ailymuno gyda Patrick Blackett yn y Morlys (yr *Admiralty*) a pharhau gyda'r gwaith. Yn y ddau le, meddai Rowland Wynne, fe wnaeth gyfraniad mawr at sefydlu math newydd o wyddoniaeth o'r enw ymchwil gweithredol.

Hanfod hwnnw oedd astudiaeth fathemategol o broblemau er mwyn cael atebion. Yn achos yr U-fadau, ymhlith ffactorau eraill, roedd yn golygu dadansoddiad mathemategol o'u symudiadau, eu harferion, eu gallu i weld awyrennau'n dod i ymosod arnyn nhw a'u record llwyddiant wrth ymosod. A'r peth cyntaf a wnaeth Desin oedd gweld gwendid yn strategaeth yr Awyrlu wrth geisio taro'r U-fadau gyda bomiau dwfn (*depth charges*). Ei ateb oedd canolbwyntio ar daro llongau oedd heb blymio neu newydd wneud hynny; yn lle bomiau a fyddai'n ffrwydro'n ddwfn yn y môr, roedd angen rhai'n ffrwydro tua'r wyneb. O ganlyniad, yn hytrach na llwyddo gydag 1% o ymosodiadau ar U-fadau, fe broffwydodd Desin y byddai'r Awyrlu yn llwyddo gyda 10%. A dyna'n union ddigwyddodd.

Yn ddiweddarach, fe fyddai Patrick Blackett yn dweud mai papur Desin ar fomiau dwfn oedd 'un o orchestion mwyaf trawiadol dulliau ymchwil gweithredol' ac fe drodd y ddau eu sylw wedyn at geisio diogelu confois o longau masnachol yn well. Trwy ddadansoddi'n fathemategol, fe fynnodd Desin fynd yn groes i reddf arweinwyr milwrol a dweud bod confois mawr o longau yn well na nifer o gonfois bach. Unwaith eto, roedd y ddamcaniaeth yn iawn; fe leihaodd nifer y colledion 40 gwaith.

Er na chafodd y gynulleidfa fawr yn yr angladd yng Nghapel y Cwm, Cwmsychbant, glywed am fanylion y gwaith yna, roedd arbenigwyr ar y pryd ac wedyn yn cydnabod ei fod yn dyngedfennol yn y frwydr yn erbyn yr U-fadau. Roedd hynny wedi rhyddhau rhagor o longau i gymryd rhan yn ymosodiad D-Day ac wedi tanseilio gallu'r U-fadau i geisio'u rhwystro nhw. Ynghyd â gwaith dadansoddwyr Bletchley Park yn torri'r cod i dracio'r llongau tanfor, roedd yr ymchwil gweithredol yn allweddol.

Trwy'r cyfan, roedd cymeriad Desin yn ymddangos yn ddigyfnewid, er ei fod ef a'r ymchwilwyr eraill yn gweithio saith niwrnod yr wythnos. Ochr yn ochr â'r straeon am ei lwyddiannau gwyddonol, mae yna wastad straeon am y dyn. Yn ôl Patrick Blackett, roedd gan weithwyr pob labordy lle buodd o hanesion am E J Williams.

Roedd y rheiny'n aml yn ymwneud â cheir a'r ffaith ei fod yn anwybyddu pob rheol wyddonol wrth yrru. Roedd cael lifft gan Desin yn 'brofiad dychrynllyd' yn ôl ei gyn-bennaeth arall, Lawrence Bragg. Ym Manceinion, fe fyddai'n gwibio rhwng dau dram ac wedyn yn esbonio mai dyna'r ateb saffa, am nad oedd brêcs y car yn gweithio. Lawrence Bragg hefyd a soniodd fod modd gwybod ble'r oedd Desin mewn labordy oherwydd ei arfer o ganu oratorios ar dop ei lais – gwaddol ei dad, a oedd yn arweinydd y gân yng Nghapel Brynteg ger Llanwenog. Roedd stori arall yn ymwneud â thorri raced dennis tros ben cyd-chwaraewr – tystiolaeth o'i allu ym myd chwaraeon a hefyd ei dymer ymfflamychol.

Yr elfen arall oedd yn drawiadol i Saeson y labordai oedd ei Gymreictod. Yng nghanol nerfusrwydd y rhyfel, fe greodd arswyd ddwywaith yn y Sefydliad Awyrennau Brenhinol yn Farnborough trwy siarad Cymraeg tros y ffôn gyda dau o'r gwyddonwyr amlwg eraill yno, William John Richards o Solfach, a'i frawd ei hun, Dafydd. Roedd nith iddo yno hefyd ac, unwaith, wrth dywys pwysigion o amgylch y safle, fe ddaethon nhw ar draws ei gilydd. Anwybyddu'r pwysigion wnaeth Desin a pharablu yn Gymraeg. Roedd rhai o'i bapurau preifat yn dangos bod ganddo ddiddordeb ym Mhlaid Cymru ac mewn syniadau sosialaidd.

Fe ddaeth y ddynoliaeth i'r amlwg hefyd yn nhystiolaeth menyw sy'n cael ei dyfynnu, heb ei henwi, gan Patrick Blackett yn un o'i deyrngedau. Mae'n amlwg ei bod hi gyda Desin yn ei flynyddoedd olaf. Mae hi'n dweud 'fod ei hiwmor a'i synnwyr o'r chwerthinllyd yn wych' ond, ar yr un pryd, y gallai fod yn ddigon penstiff i ddadlau achos hollol wirion gyda rhesymeg berffaith. Doedd ganddo ddim syniad o amser, roedd yn casáu confensiwn a rheolau deddfol ond yn caru Cymru, ei deulu a'i fro.

Ac yno y dychwelodd ar ôl cael dwy lawdriniaeth canser ac anfon llythyr at ei rieni yn dweud nad oedd fawr o obaith ond ei fod yn edrych ymlaen at laeth enwyn. Roedd wedi cael ei ddiagnosis yn 1944 a doedd hyd yn oed y corff byr, cydnerth ddim yn gallu dod trwyddi.

Yn y dyddiau olaf roedd yn gweithio ar erthygl i'w chynnwys mewn cyfrol deyrnged i Niels Bohr yn 60 oed, ochr yn ochr ag Albert Einstein a thri enillydd Nobel arall. Er bod ei fam yn gorfod ei helpu at y gadair a'r bwrdd bob dydd, fe fynnodd orffen. Fel y dywedodd ei ffrind ysgol, mathemategydd disglair arall, E T Davies: bryd hynny y dangosodd y gwyddonydd mawr ei fod yn ddyn mawr hefyd.

Llwyd fach arall y baw

Eluned Phillips, 1914–2009

ATGOF PLENTYNDOD. EISTEDDFOD Genedlaethol 1967. Finnau'n hogyn bach 10 oed yn chwilio am lofnodion. Rhyw frithlun o wraig fechan, sionc, yn dod i fy nghyfeiriad, yn wenau drwyddi. Finnau'n gofyn, a chael, llofnod Bardd y Goron.

A ydw i'n cofio go iawn? Neu ai drysu yr ydw i oherwydd yr holl luniau o Eluned Phillips ynghanol ei buddugoliaeth ar faes y Bala? Ond mae'r enw yno, yn y llyfr bychan piws. Fe wnes i gwrdd â hi ac fe ges i'r llofnod.

Yr un wyneb heulog sydd ym mron pob llun ohoni a'r un sioncrwydd yn ei hosgo ond mae'r elfen rithiol yn un real hefyd. Mae un o'i ffrindiau gorau, a'i chofiannydd, y bardd Menna Elfyn, yn cadarnhau hynny: 'Un o enigmâu mwyaf yr ugeinfed ganrif ym myd llenyddiaeth Cymru,' meddai. 'Ac un o'r rhai mwyaf dirgelaidd hefyd... trwy ddirgel ffyrdd y mae dod o hyd i unrhyw beth ynghylch Eluned.'

Mae'r cofiant, *Optimist Absoliwt*, yn safiad ar ran yr awdures doreithiog, amrywiol ei gwaith o Genarth; mae'n ei hamddiffyn a'i dyrchafu. Mae'n waedd gryf yn erbyn agweddau'r Sefydliad Barddol Gwrywaidd at fenywod, ac yn arbennig at rai fel Eluned Phillips, oedd yn sengl, yn annibynnol ei hysbryd ac yn anghonfensiynol ei chefndir a'i ffordd o fyw. O fewn dim i'r diwrnod gorfoleddus hwnnw yn y Bala, pan ddaeth hi'r ail fenyw i ennill y Goron yn y cyfnod modern, roedd y sibrydion wedi dechrau... ensyniadau nad hi oedd awdur y gerdd fuddugol, fod yna brifardd enwog gwrywaidd yn y cefndir.

Fe sgrifennodd criw beirdd y Pentre Arms yn Llangrannog englyn pryfoclyd yn awgrymu hynny (fe gafodd ei gyhoeddi wedyn yng nghasgliad y Lolfa, *Englynion Coch*) ac fe gynyddodd y sibrydion pan enillodd hi'r Goron am yr ail waith, yn Llangefni yn 1983. Bryd hynny, fe aeth y Brenhinbren ei hun, Syr Thomas Parry, i drafferth am ddweud bod twyll llenyddol wedi digwydd yn Llangefni 'ac o leiaf unwaith cyn hynny', ond heb ddweud nac enwi'n blaen.

Fel y dywedodd Menna Elfyn: 'Aeth sylw ambell un yn "sylw pawb". Aeth y stori yn chwedl a'r chwedl yn rhan o fytholeg.' Ond mae yna gymysgedd o ffaith, chwedl a mytholeg yn hanes Eluned Phillips ei hun a hithau wedi gweu stori gyfareddol am ei hanturiaethau, o Foroco i Baris, o garwriaeth goll â Llydäwr i ddod yn ffrind i'r gantores Edith Piaf a chwrdd â'r arlunydd, Picasso.

Ac mae'r elfen 'ddirgelaidd' yn dechrau gyda'i genedigaeth ym mwthyn ei mam-gu, yn ferch i forwyn o'r enw Mary Ann Phillips, ar ochr Sir Gaerfyrddin i afon Teifi yng Nghenarth. Does dim sôn am enw tad, a'r cyfan y mae Eluned ei hun yn ei ddweud yn ei hunangofiant ydi ei fod wedi cael ei ladd yn y Rhyfel Byd Cyntaf.

Fe ddaw'r ail ddirgelwch wrth geisio deall sut y gallodd hi, ei mam a'i chwaer hŷn symud yr ochr arall i'r afon, i Geredigion, pan oedd hi'n saith oed. Mae lluniau'n dangos bod Glanawmor yn dŷ braf, digon sylweddol yn ei gyfnod, gydag ychydig o dir a pherllan. Yn ddiweddarach, fe fyddai piano'n cyrraedd yno mewn lorri ac, yn nes ymlaen eto, rhywun yn talu i Eluned fynd i ysgol fonedd yn Llundain... a does dim pwynt dyfalu.

Mae Menna Elfyn yn sicr fod y cartref hwnnw yng Nghenarth yn allweddol. Roedd plentyndod Eluned Phillips yn llawn menywod, a'r rheiny, yn ôl pob sôn, i gyd yn gymeriadau. Yn ogystal â'i chwaer, Madge, a'i mam, roedd y fam-gu, Margaret, cyfnither 'Gret', a'r haden fwyaf o'r cyfan, ei modryb Hannah, pysgotwraig a photsier enwog yn y cylch. Fe fyddai ambell ffigwr adnabyddus yn lletya yno ar dro – Cynan, y bardd-bysgotwr, er enghraifft – a hynny'n ehangu gorwelion y ferch fach. Ond, ar y cyfan, yn ôl Eluned ei hun, menywod oedd y dylanwad arni.

O gofio'i hanes barddol diweddar, mae yna un stori drawiadol am ei dyddiau ysgol, a hithau yn saith oed wedi sgrifennu cerdd yn y papur lleol. Fe gafodd ei hamau ar gam o fod wedi dwyn y gwaith o rywle. Ond roedd y chwiw sgrifennu wedi gafael ynddi'n ifanc ac mae'n ymddangos ei bod wedi rhoi ei bryd ar yrfa yn y maes. Aeth ei chwaer i Goleg y Brifysgol yn Aberystwyth a dod yn wyddonydd labordy; cafodd hithau ei hanfon i'r ysgol breifat yn Llundain. Yno, wedi gadael ysgol, fe fyddai'n dechrau sgrifennu am dâl ac yn dechrau ar y cyfnod a dyfodd yn chwedl yn ei hanes ei hun.

Ychydig iawn o ffeithiau caled sydd yna am flynyddoedd Eluned Phillips yn Llundain ac ym Mharis ond mae'n stori liwgar. Mae'n dweud iddi ddod yn ffrindiau â bohemiaid amlwg o Gymry, fel yr arlunydd Augustus John, Dylan Thomas a Dewi Emrys (ar ôl gweld y tri gyda'i gilydd yn Eisteddfod Abergwaun 1936, lle'r oedd hi'n cael ei derbyn i'r Orsedd, John yn feirniad celf a Dylan ac yntau'n ffraeo tros Caitlin Macnamara). Ymhlith y darluniau cofiadwy, mae ganddi ddisgrifiad o'r bardd Saesneg Edith Sitwell yn perfformio yn y Café Royal a barn Menna Elfyn ydi ei bod wedi 'ymgolli yn llwyr yn y byd Saesneg' gan gynnal ei hun, mae'n ymddangos, trwy sgrifennu straeon i gylchgronau.

Does dim dyddiadau pendant am ei dyddiau ym Mharis, heblaw ei bod yn dweud mai yn 1938 yr oedd hi yng nghwmni Llydäwr ifanc o'r enw Per. Clarinetydd oedd hwnnw a ddaeth yn gariad ac, wedi dechrau'r Ail Ryfel Byd, yn gariad coll. Mae ganddi ddisgrifiad byw o weld Edith Piaf am y tro cyntaf, yn y tywyllwch mewn fflat a'r gantores wedi ei lapio mewn tair neu bedair côt... ac wedyn yn dechrau canu. Tua'r un cyfnod y landiodd hi, meddai, yn stiwdio Pablo Picasso ac yntau newydd orffen ei baentiad enwocaf, Guernica.

Doedd pawb ddim yn credu'r straeon, gan wawdio ei hynganu Ffrangeg, er enghraifft; roedd eraill yn amau bod rhywfaint o orliwio, ond mae'r stori'n un gyfareddol a'r cysylltiad rhyngddi a Piaf yn ddadlennol ar sawl lefel. Roedd y ddwy ar y cyrion mewn gwahanol ffyrdd.

La Môme Piaf oedd llysenw Edith – aderyn y to, neu lwyd bach y baw yn nhafodiaith Ceredigion – ac fe wnaeth Eluned Phillips ddefnydd o hynny mewn cerddi. Piaf oedd testun pryddest a ddaeth yn ail iddi hi ei hun yn y Bala yn 1967. Roedd Piaf, meddai, eisiau iddi ei galw wrth yr enw Cymraeg, llwyd bach y baw.

Mewn teyrnged adeg ei hangladd, fe ddefnyddiodd Dic Jones, yr Archdderwydd ar y pryd, y gair 'chwedl' i'w disgrifio. Ac o gofio ei fod yn un o feirdd y Pentre Arms, efallai fod mymryn o amwyster yn ei awgrym fod 'ei hatgofion am y troeon hynny'n nofel ynddi'i hun'. Roedd Eluned Phillips ei hunan weithiau'n cymylu'r ffin rhwng ffaith a dychymyg. Mewn nofel, *Cyfrinachau*, y daeth elfennau o stori ei charwriaeth â Per i'r wyneb ac yn ei chofiant i Dewi Emrys, mae ganddi gyfeiriad enigmatig –

ei hunig gyfeiriad – at ei garwriaeth gyda Dilys Cadwaladr – 'rhaid i mi grybwyll am y feinwen a aeth i Eisteddfod Lerpwl yng nghwmni un o lewod llenyddol Cymru, ond a ddaeth oddi yno wedi ei swyno'n llwyr yng nghwmni bardd y Gadair. Hwyrach fod yma ddeunydd nofel fawr...'

Mwy daearol a chyffredin oedd ei bywyd wedi dechrau'r Ail Ryfel Byd a hithau'n gorfod gadael Paris. Fe gafodd waith yn glerc gyda chyfreithiwr yng Nghastellnewydd Emlyn. Wedi'r rhyfel y daeth y cyfle mawr o ran sgrifennu yn Gymraeg; trwy gyfarfyddiad arall ar hap, fe ddaeth un o gynhyrchwyr y BBC ar ei thraws, a chyn bo hir, roedd hi'n un o awduron arloesol cyfresi drama radio fel *Teulu Tŷ Coch* a *Teulu'r Mans*. Yn ôl Menna Elfyn, hi, efallai, oedd y fenyw gyntaf i fyw ar sgrifennu yn yr iaith. Ond y Bala a ddaeth â hi i ganol y byd barddonol.

Un o'r pethau trawiadol am ei dwy gerdd bryd hynny – y gyntaf a'r ail – oedd eu bod yn trafod bydoedd dieithr, yn enwedig i farddoniaeth Gymraeg. Crefyddau Islam a Tsieina, er enghraifft, yn y gerdd fuddugol a Piaf a Paris yn yr ail. Taith i Foroco oedd un ysbrydoliaeth i'r bryddest a enillodd ac mae'r rhan gyntaf yn llawn cyfeiriadau at y Corán; heb yn wybod i neb roedd eisoes wedi dod yn agos at y Goron yn 1966 gyda cherdd am Jeriwsalem. Roedd hynny, a chynigion cynt yng Ngŵyl Fawr Aberteifi, yn dangos ei bod wedi bwrw ei phrentisiaeth.

Roedd hi'n gwybod am yr ensyniadau ac yn ymwybodol mor anodd oedd hi i fenyw gael ei derbyn gan y sefydliad barddol. Ond wnaeth hi ddim troi cefn ac, yn 1983, fe enillodd gyda cherdd hir arall, 'Clymau', y tro yma wedi'i hysbrydoli gan Ryfel y Malfinas. Tra oedd pryddest y Bala, 'Corlannau', wedi cael ei beirniadu gan rai am fod yn dywyll, roedd hon yn gwbl uniongyrchol ac mewn llais gwahanol – gyda'r rheolau'n dweud yn blaen, 'dim cynghanedd', fe sgrifennodd gerdd rydd yn dilyn patrwm mesurau caeth. Roedd fel petai wedi dod o hyd i lais newydd: mae yna nifer o gerddi eraill ganddi ar ffurf englynion digynghanedd.

Y tro yma, roedd yr amau yn fwy plaen, gan rai fel Syr Thomas Parry a'i ffrind, John Gwilym Jones, un o'r beirniaid. A'r tro yma, fe gafodd Eluned Phillips ei chythruddo ddigon i gymryd cyngor cyfreithiol am ensyniadau'r marchog. Fe wadodd yntau – wrth gwrs – mai hi oedd testun ei amheuon. Ond doedd fawr neb yn coelio hynny.

Os na chafodd y bardd coronog dwbl y clod y byddai dyn wedi ei gael am ei champ, fe gafodd hi haf bach Mihangel annisgwyl a llwyddiannus iawn y tu allan i Gymru. Yn hytrach na sgrifennu cerddi gartref, fe ddechreuodd gael comisiynau i gyfansoddi geiriau ar gyfer cerddoriaeth, a hynny yn bennaf yn yr Unol Daleithiau. Roedd y prif gysylltiad, Michael J Lewis, yn gyfansoddwr ffilmiau yn Hollywood a hefyd yn arweinydd Côr Cymraeg De Califfornia. Fe gafodd hithau gyfle unwaith eto i deithio'n bell a chael croeso brenhines gan yr Americanwyr.

Ei phersonoliaeth oedd rhan o'r rheswm am hynny. Roedd ei ffrindiau agos yn amlwg yn dotio arni oherwydd ei golwg heulog ar fywyd a'i haelioni wrth oresgyn sawl clec. Dyna un ffordd o wrthsefyll yr amheuwyr, efallai; ffordd arall oedd y stori oedd ganddi i'w dweud, y bywyd a greodd iddi ei hun.

Mae gan Menna Elfyn lawer o sylwadau craff am Eluned Phillips yn ei chofiant, am stori ei charwriaeth â Per, er enghraifft, a'i thuedd i roi caead ar boen: 'Cyflwyno'r cyfan fel stori ramantus a wna, y math o stori y carai ei hysgrifennu er mwyn ennill ei bywoliaeth pan oedd yn byw yn Llundain. Pa ran sydd gan rith a pha ran sydd gan realiti yn y storïau hynny, tybed?' Ac wedyn, wrth gloriannu ei bywyd: 'Os bu fyw ar ymylon Cymru, bu fyw i'r ymylon yn ferch lawen, fodlon ei byd. Ni adawodd i'r un drefn ei llorio na'i hatal rhag credu'n waelodol yn ei gallu ei hun.'

A dyma eiriau Eluned Phillips, wrth sôn am ymateb bardd ifanc llawn edmygedd pan welodd Dewi Emrys: 'Gwelodd y bardd ifanc ef â llygaid diduedd y diniwed; dyna'r ffordd deg i ni fel cenedl edrych arno bellach.' Mae'r geiriau'n berthnasol iddi hithau.

Pinacl traddodiad

Dic Jones, 1934–2009

PETAECH CHI'N EDRYCH ar fap-gwres barddonol o Geredigion tros y ganrif a hanner ddiwethaf, fe fyddai yna ambell ardal ffyrnig o goch. Yn fwy na'r un sir arall, efallai, mae ganddi ei chlystyrau o feirdd. Ac fe fyddai'r patshyn mwyaf fflamgoch i gyd tros ychydig filltiroedd sgwâr i'r gogledd o Aberteifi, hyd y bae o Langrannog i Aber-porth ac ychydig i mewn i'r wlad.

Fe fyddai llecynnau poeth o amgylch Ffair-rhos a'r Mynydd Bach yng ngogledd y sir hefyd – mannau lle'r oedd un neu ddau o feirdd wedi magu rhai eraill o'u cwmpas a'r traddodiad yn cael ei drosglwyddo o genhedlaeth i genhedlaeth am gyfnod. Ac, ar y glannau yng ngwaelod y sir, fferm y Cilie ger Cwmtydu fyddai canol llonydd y cylch.

Beirdd gwlad fyddai cnewyllyn pob clwstwr; dynion (yn bennaf bryd hynny) oedd yn byw ar y tir neu'n agos ato, yn perthyn i gymdeithas gymharol sefydlog lle'r oedd cof a chwedl ac arfer yn wrtaith i'w hawen nhw. Y clasurwr o feirniad llên Saunders Lewis oedd un o'r rhai oedd yn credu bod beirdd gwlad yn rhan o draddodiad canolog barddoniaeth Gymraeg a'u tras yn ymestyn yn ôl trwy Feirdd yr Uchelwyr a'u tebyg at ddechrau'r grefft.

Ychydig o feirdd gwlad go iawn sydd ar ôl bellach ac

mae'n bosib, gyda chynnydd addysg a diwydiannu amaeth, na welwn ni genedlaethau tebyg eto. Cyd-ddigwyddiad hapus felly ydi fod ton olaf y traddodiad wedi codi'r bardd gwlad gorau o'r cyfan. Dic Jones.

O ran ei achau teuluol, roedd yn perthyn i ddau ben Sir Aberteifi; ei fam yn dod o ardal Tre'r-ddôl yn y gogledd, ble'r aeth hi i eni Richard Lewis Jones, a theulu ei dad ers cenedlaethau yn byw yn ardal Blaen-porth. O ran ei achau barddonol, roedd yn perthyn yn bendant i'r smotyn coch o amgylch teulu'r Cilie. Er yr ymweliad â gogledd y sir ym mis Mawrth 1934, yno, ar fferm Tan-yr-eglwys yr oedd y teulu'n byw.

Cerddoriaeth, yn fwy na barddoniaeth, oedd diléit y rhieni, a'r ddau yn gantorion. Ac er bod y bardd a'r ysgolhaig Ieuan Brydydd Hir i fod yn yr achau yn rhywle, doedd dim amlwg yn y genynnau i ddarogan dyfodol Dic. Ond, erbyn ei farw yn 2009, fe fyddai wedi sgrifennu dwy o awdlau gorau'r iaith Gymraeg, rhai o'i henglynion a'i hir-a-thoddeidiau gorau ac ambell farwnad a cherdd a fyddai'n dal eu tir gyda chlasuron y canrifoedd. A'r cyfan yn codi o'r darn o dir o dan ei draed a'r gymdeithas o'i gwmpas.

Wrth drafod a oedd bardd yn cael ei eni'n fardd ai peidio, fe roddodd Dic Jones ei hun ei fys ar bwysigrwydd cael cymdeithas gydnaws. Roedd angen cael eich geni yn brydydd, meddai yn ei hunangofiant *Os Hoffech Wybod...* – bod â chlust i fydr ac acen ac odl – ond 'cefnogaeth cymdeithas' oedd yn troi prydydd yn fardd. Ac, iddo ef, cylch beirdd y Cilie oedd calon y gymdeithas honno.

O gwmpas Jeremiah, y tad, y brodyr a'u plant hwythau fe ddatblygodd gyr pedigri a hwnnw'n cael ei adnewyddu'n gyson tros y blynyddoedd. Ychydig cyn Dic, roedd T Llew Jones wedi ymuno â'r frawdoliaeth; ychydig ar ôl Dic fe ddôi rhai fel Idris Reynolds. Heb i neb ddweud dim, roedd yna olyniaeth naturiol o arweinwyr: Isfoel, yr ail fab, i ddechrau ac wedyn Alun, y cyw melyn olaf ac arwr mawr Dic Jones.

Ato ef i'r Cilie y daeth gwahoddiad i'r bachgen ifanc fynd am sgwrs ar ôl iddo ddechrau dangos ychydig o ddiddordeb mewn cynganeddu a thrwyddo ef, yn y dull clasurol o annog a chynghori, y daeth y disgybl yn feistr hefyd. Cyn bo hir, roedd Dic Tan-yr-eglwys wedi ennill Cadair yr Urdd bump tro ac wedi cyhoeddi ei gyfrol gyntaf o farddoniaeth, *Agor Grwn*, yn 26 oed. Wedi cael anogaeth a dod yn agos yn y Genedlaethol ar ddechrau'r 60au, fe ysgydwodd y byd barddonol yn Aberafan yn 1966 gyda'i awdl i'r 'Cynhaeaf'.

O gymharu â'i ymdrechion cynt, mae'n amlwg mai'r testun oedd wedi datgloi ei awen. Mewn awdl Eisteddfodol gynharach, 'Yr Ymchwil', roedd y ganmoliaeth fwyaf i'r darnau am amaethyddiaeth. Yn 'Cynhaeaf' fel yn ei holl waith gorau, yn gerddi a rhyddiaith hefyd, mae yna deimlad o fydr amser, troad y flwyddyn a throad y canrifoedd hefyd. Ac, yn y canol, perthynas y ddynoliaeth â'r byd o'i chwmpas.

Fe gafodd ei gymharu gan Thomas Parry â Dafydd ap Gwilym, nid yn unig am ei grefft ond hefyd oherwydd ei barodrwydd i dderbyn amodau ei oes, y dyfeisiadau newydd ochr yn ochr â'r hen ffordd o fyw. Yn ôl T H Parry-Williams, roedd wedi canu o fewn ei fyd a'r byd hwnnw, erbyn hynny, oedd fferm yr Hendre, am y ffin â Than-yr-eglwys. Roedd wedi priodi Jean (Siân) ac, erbyn hynny'n dad i dri o blant, Delyth, Rhian a Dafydd.

Trwy fywyd diwylliannol yr ardal yr oedd y ddau wedi dod at ei gilydd, yn aelodau o Aelwyd enwog yr Urdd yn Aber-porth dan arweiniad Alun Tegryn a Sandra Davies. Yn ogystal â barddoniaeth, roedd Dic, fel y rhan fwyaf o'i deulu, yn ganwr da ac yntau a Siân yn y côr. Mae ei hunangofiant yn rhoi darlun cynnes o haf bach Mihangel yr eisteddfodau bychain a'r cyfarfodydd cystadleuol a'r cymdeithasu a'r troeon trwstan ynghlwm wrth y rheiny. Fe fyddai'r pedwerydd mab, Brychan, yn dod yn ganwr roc a Dic Jones, mewn cywydd cofiadwy arall, yn cofleidio brwdfrydedd y byd hwnnw.

Fe allai fod wedi parhau â'i addysg ond roedd ei angen gartref. Pe bai wedi mynd i goleg, go brin y byddai gystal bardd. Yn sicr, nid yn fardd mor arbennig. Roedd ei feddwl yn amgyffred syniadau athronyddol a gwyddonol eang ond gyda chraffter dyn ymarferol yr oedd yn eu trin, nid â moethusrwydd deallusol. A'u mynegi trwy brofiadau ac mewn iaith bob dydd.

Ochr yn ochr â'r cerddi eisteddfodol a'r cerddi amaeth, roedd Dic Jones yn cyflawni holl swyddogaethau bardd gwlad traddodiadol. Mae ei gyfrolau'n llawn o gerddi cyfarch a cherddi 'defodol', y rhai sy'n cofnodi digwyddiadau a throad y rhod ym mywyd cymunedau. Mae'n amlwg fod llawer o englynion a phenillion yn cael eu sgrifennu hefyd ar gyfer eu perfformio'n gyhoeddus, i ennyn ymateb cynulleidfa. Ac roedd rhai o'r darnau gorau yn cynnal traddodiad canrifoedd: yn gofyn am rywbeth, neu'n diolch ac yn cyfarch a herio beirdd eraill. Y gyfres enwocaf o'r rheiny ydi'r cywyddau i adar du, ac Alun Cilie, T Llew Jones a Dic yn hawlio mai eu mwyalchen nhw oedd y canwr gorau.

Marwolaeth Alun Cilie a ysbrydolodd yr awdl fawr nesaf, yn chwaer i awdl 'Cynhaeaf' ond, am gyfnod, fe gafodd mawredd awdl 'Gwanwyn' ei golli gan y sgandal o'i chwmpas. Fe gafodd ei dyfarnu'n orau yn Eisteddfod Genedlaethol Aberteifi yn 1976 cyn iddi ddod yn amlwg nad oedd gan Dic Jones yr hawl i gystadlu. Roedd wedi mynd i un cyfarfod o'r Pwyllgor Llên ac, yn ôl y rheolau, roedd hynny yn ddigon i'w atal. Er ei fod yn gwybod hynny, fe gynigiodd yn ei enw ei hun ond gan roi cyfeiriad cefnder. Erbyn i'r awdurdodau ddeall, roedd hi'n hwyr yn y dydd; fe gafodd Dic Jones ei ddiarddel, fe gafodd Alan Llwyd ei gadeirio ond roedd cyfrol y Cyfansoddiadau wedi rhoi'r lle blaenaf i waith Dic Jones.

Doedd ef ei hun erioed yn awyddus i drafod manylion yr helynt, ond yn ei hunangofiant mae'n esbonio'n union sut y daeth yr awdl i fod. Er mwyn ceisio sicrhau bod Alun Cilie yn cael ei ddewis yn feirniad ar gystadleuaeth y Gadair yr aeth i'r cyfarfod pwyllgor, a phan fu farw ei arwr yn 1975, fe ddechreuodd syniadau droi yn ei ben. Cyn hir, roedd un hir-a-thoddaid wedi troi'n awdl gyfan, yn ddathliad o'r ffordd y mae natur yn adnewyddu ei hun a llinach ac amaeth yn parhau. Roedd hi'n un â 'Cynhaeaf', meddai, ac wedi codi o dir yr Hendre.

Bynglo modern, digon di-nod ydi'r Hendre ei hun ond o'i gaeau mae modd gweld ehangder Bae Ceredigion a glas y caeau'n ymestyn oddi wrtho. Roedd yn gallu dweud yn union pryd y daeth cynghanedd gyntaf yr awdl, wrth symud ffens drydan, a ble'n union a sut y daeth y llinellau nesaf. Fe fyddai'n dweud yn aml fod rhythm sŵn peiriant godro hefyd yn cymell llinellau cynganeddol. Roedd ei farddoniaeth yn codi o'r tir.

Fel y dangosodd helynt Eisteddfod Aberteifi, roedd yna elfen gystadleuol ac ochr fwy brathog weithiau i Dic Jones. Ar ôl ceisio'n aflwyddiannus am ddwbl y Gadair a'r Goron yn 2000, roedd yn barod i feirniadu'r beirniaid am awgrymu bod ei gerddi rhydd yn hen ffasiwn; roedd ganddo'r enw am fod yn beryglus ar gae pêl-droed ac wrth fwrdd darts a doedd criw beirdd y Pentre Arms yn Llangrannog, lle'r oedd Alun Cilie'n frenin, ddim yn brin o sgrifennu ambell englyn miniog, ac enllibus, hyd yn oed.

Gwedd arall ar yr hiwmor crafog yna oedd i'w weld ym mherfformiadau radio Dic Jones, i ddechrau ar y rhaglen banel *Penigamp* – lle'r oedd angen clyfrwch a chyflymder meddwl – ac wedyn yn llywyddu *Talwrn y Beirdd* ac yn aml yn llunio cynganeddion yn y fan a'r lle. Roedd ei ffraethineb yn gymar i'w graffter meddwl a dyfnder ei ddealltwriaeth. Cyn llinell ddoniol, neu syniad dwys, fe fyddai ei lygaid yn meinhau rhyw ychydig ac yna'n agor i'ch herio i chwerthin neu ystyried.

Er gwaethaf y doniolwch cyhoeddus, fe sgrifennodd gerddi ysgytwol o onest hefyd yn codi o'i amgylchiadau ei hun. Yn ôl Idris Reynolds, y 'Galarnad' ar ôl colli Esyllt, un o efeilliaid a ddaeth, gyda Tristan, rai blynyddoedd wedi'r plant eraill, ydi 'un o farwnadau mawr yr iaith Gymraeg'. Cymar i'r englynion hynny ydi 'Miserere', a sgrifennwyd pan oedd Siân, ei wraig, yng nghanol clefyd alcoholiaeth. Ond mae'r gyfres honno o englynion, o ganol y düwch, hefyd yn dweud bod 'darn o'r haul draw yn rhywle'.

Fe gafodd faddeuant yr Eisteddfod a dod yn Archdderwydd; fe ddaeth yn golofnydd materion cyfoes mydryddol a chynganeddol cyntaf y byd yn y cylchgrawn *Golwg* ond am y cerddi hynny, yr awdlau a'i gerddi dathlu-bywyd, y caiff ei gofio. Yn y cerddi personol mawr, fel yn y cerddi amaeth, mae yna deimlad o ddyn yn gorfod derbyn ei dynged, symud gyda'r elfennau... a chanu.

Gwir Dywysog Cymru

David R Edwards, Dave Datblygu, 1964–2021

ABERTEIFI. TŶ PARCHUS, hollol gyffredin yr olwg. Gwelfryn, 7, Y Rhos. Geni David Rupert Edwards. 1964. Unig blentyn. Cannwyll llygad ei fam a'i dad, Betty a Mervyn.

Yma y bydd David yn byw y rhan fwyaf o'i oes – ar wahân i gyfnodau yn ardal Aberystwyth (mewn Ford Sierra, fflat a *dosshouse*), Trefforest (tair blynedd ym Mholytechnig Morgannwg), Llan-gors (gyda'i bartner bywyd ar y pryd a'i bartner cerddorol am byth, Pat Morgan), cartref nyrsys ym Mronllys, fflat yn Llanfair Caereinion, matres ar lawr fflat yn y Trallwng a fflatiau lles yng Nghaerfyrddin. O, ie, a chyfnodau mewn ysbytai meddwl ac ambell noson yng nghelloedd yr heddlu.

Ysgol Uwchradd Aberteifi. Mae'n mwynhau perfformio mewn cynyrchiadau Gilbert and Sullivan. Mae'n chwarae rygbi i'r ysgol. Yn y Chweched Dosbarth, mae'n ofnadwy o anhapus. Mae David a'i ffrind, T Wyn Davies, yn creu band o'r enw Datblygu. Mae David yn treulio llawer o amser yn ei stafell yn y tŷ yn arbrofi gyda cherddoriaeth. Mae'n hoffi rhai o'r athrawon; y system yw'r broblem.

'Croeshoeliwch y prifathrawon. Maen nhw'n hollol wallgo.'

Yn 1989, bydd yn cael swydd athro ei hun. Cymraeg a Drama yn Llanfair Caereinion. Yn ôl y stori, dydi Mr Edwards ddim yn rhoi row i'r plant am smocio; mae'n rhannu ffags iddyn nhw. Dydi e ddim yn hoffi'r stafell athrawon. Mae'n cael row gan y prifathro am wisgo crys-T yn lle siwt. Ond y gyfundrefn addysg yn gyffredinol sydd yn ei boeni: y rejimento, y disgyblu, y cyfyngu. Y dysgu am bethau dim iws. Mae ganddo syniadau gwell.

Yr agenda am heddiw:
dosbarth un – sut i osgoi bulemia
dosbarth dau – sut i arogli nwy yn iawn
dosbarth tri – sut i wisgo Durex yn y tywyllwch.

'System addysg go iawn'

Meddai ei ffrind, Pat: 'Roedd ei rieni fe yn disgwyl pethau mawr. Oedd pwysau arno fe i fod yn llwyddiannus. Oedd athrawon hefyd yn meddwl ei fod e'n mynd i fod yn enwog. Oedd e'n ddeallus, ffordd oedd e'n edrych ar bethau.' Felly, yn groes i'r graen, mae'n mynd i Bolytechnig Morgannwg yn Nhrefforest. Mae'n profi bod myfyriwr ar gyffuriau'n gallu cael gwell gradd nac amryw sy'n gweithio'n galed.

1983. Bar cefn yr Angel, Aberystwyth. Gìg cyntaf Datblygu gyda Doctor ac Eryr Wen. Mae pobl yn eithaf lico nhw – yn wahanol i nes ymlaen. Yn yr un flwyddyn, mae Dave yn cwrdd â Rhys Mwyn a Sion Sebon o'r band Anhrefn. Maen nhw ar yr un donfedd, a chyn bo hir, ar yr un recordiau hefyd. Mae Datblygu'n wahanol. Mae eu sŵn yn gras, yn rhythmig ailadroddus, yn cael ei yrru gan gitâr a drymiau a dydi'r canu ddim yn bersain. Mae'r geiriau yn galed, yn ymosodol. Rap ydi eu cân gyntaf ar dâp, yn fflangellu'r sin disgo-popaidd Gymraeg.

'Sa i'n hoffi pobol gwag sy'n neidio o gwmpas ac yn mynd WwoW.'

Ers 1980, mae Dave wedi gwirioni ar y band The Fall. Mae disgrifiad Wikipedia ohonyn nhw yn gweddu i Datblygu hefyd – 'ffordd o gyflwyno unigryw, un-nodyn, rhywle rhwng rant amffetaminaidd a stori wedi'i chawlio gan alcohol'.

Yn 1983, mae'n cwrdd â Patricia Morgan o Landybïe, sy'n fferyllydd yn Aberhonddu. Mae hi'n ffan sy'n troi'n aelod o'r band. O hynny ymlaen, meddai Dave, mae hi'n cael dylanwad mawr ar y sŵn. Mae'n fwy electronig a cherddorol efallai. Ond mae'r geiriau mor galed ag erioed am ryw, cyffuriau, alcohol, yn erbyn parchusrwydd ac unffurfiaeth.

Yn 1986, mae'n cwrdd â John Peel, archoffeiriad cerddoriaeth annibynnol. Y flwyddyn wedyn, mae Datblygu'n cael gwahoddiad i wneud sesiwn ar ei raglen ar Radio 1. Maen nhw'n dechrau ar eu cyfnod mwyaf cynhyrchiol, yn recordio albyms fel *Wyau* a *Pyst*. Yn ôl Emyr Glyn Williams o label recordiau Ankst, *Pyst* ydi 'yr albym gore erioed i gael ei recordio yn yr iaith Gymraeg'. Mae John Peel ei hun yn dweud, 'Os na fyddwch chi'n gwrando ar yr un albym Gymraeg arall byth, gwrandewch ar *Pyst*.'

Maen nhw'n gwneud pump sesiwn i John Peel i gyd. Erbyn y rhai olaf mae Dave wedi ymestyn y band i gynnwys rhagor o gerddorion. Mae'n hoffi gwahodd cerddorion y mae'n digwydd taro arnyn nhw i ymuno. Yn un sesiwn, meddai Pat, mae tua wyth o bobl i gyd. Dim ond Dave y mae hi wedi ei gyfarfod o'r blaen.

Yr unig rai sy'n methu â rhoi sylw teg i'r band ydi'r cyfryngau Cymraeg a sefydliadau diwylliannol fel yr Eisteddfod. (Diolch byth, meddai Dave, efallai. Mae wedi cymharu'r Orsedd â'r Ku Klux Klan.)

'Rwy'n caru'r iaith Gymraeg ond rwy'n casáu diwylliant Cymraeg.'

Mewn penwythnos i ddathlu Datblygu yn Llanbed yn 2022, mae Emyr Glyn Williams yn dweud peth arall diddorol iawn. Mae'n ceisio egluro pwysigrwydd Datblygu. 'Wnaethon nhw ryddhau'r iaith Gymraeg,' meddai. 'Cyn Datblygu, roedd yr iaith ynghlwm wrth genedlaetholdeb gwleidyddol. Rŵan, mae hi yn rhydd.'

Os ydi Emyr yn iawn, Datblygu sy'n gyfrifol am fynd â'r Gymraeg at bobl newydd, am roi trwydded i bob math o garfanau gwahanol ei defnyddio hi. (Wedi'r cyfan, anelu at ddysgwyr y mae'r penwythnos dathlu ac mae rhai'n dod o gyfandir Ewrop. Ar adegau, mae Datblygu yn fwy poblogaidd dros y dŵr nag yng Nghymru.) Yn sicr, mae bandiau a ddaeth yn enwau rhyngwladol – y Super Furry Animals a Gorky's Zygotic Monkey – yn pwysleisio dylanwad Datblygu arnyn nhw.

Mae David yn aml yn dweud, 'Fi ydi gwir Dywysog Cymru'. Mae ei dafod yn ei foch.

Cân fwyaf poblogaidd Datblygu yng Nghymru ydi 'Cân i Gymry', sy'n ymosod ar ddiwylliant cyfforddus y Cymry Cymraeg dosbarth canol. Mae'n cael ei chwarae ar Radio Cymru; mae'r gwrandawyr yn ei hoffi, yn ei harddel, bron. Lle bynnag y mae David heddiw, go brin ei fod yn hapus â hynny.

Mwyarhebion. Rhif 8. 'Mae David Edwards wedi cael mwy o brydau poeth na menywod.'

Rhag ofn eich bod yn poeni am ei fywyd personol, mae David R Edwards a Pat yn dod yn gariadon ac yn cyd-fyw am ryw bedair blynedd. Yn y diwedd, maen nhw'n gwahanu ond yn parhau yn ffrindiau agos iawn ac yn creu ar y cyd. Yfed Dave ydi rhan o'r broblem.

Ers gadael coleg a chyn mynd yn athro, mae wedi cael sawl swydd – ei hoff un oedd gwerthu petrol mewn garej. Mae'r lleill – gyda'r Bwrdd Croeso ac yn swyddog gweinyddol yn y Gwasanaeth Iechyd – yn llai llwyddiannus. Dydi swyddi a Dave ddim yn cytuno'n dda.

Dros y blynyddoedd, mae'n sôn am rai o'i gariadon. Mae un yn ysbrydoli'r gân 'Maes E', mae un yn cydsgrifennu geiriau 'Cân i Gymry' ac mae yntau yn gweld colli sawl un ohonyn nhw ar ôl i bethau chwalu. Mae'n ddyn teimladwy.

Mae ei ffrindiau yn sôn am ddyn caredig, hael, yn wahanol i'w bersona ar y llwyfan, yn wahanol i'w bersona ar ôl gormod o alcohol. Efallai fod un o'i fyfyrdodau yn esbonio hynny: 'Pam mai ffrind gorau dyn yw'r ci? Oherwydd mae'n ofni cael ei fwyta. Mae'r cŵn sy'n brathu yn ddewr ac yn gwybod hynny.'

'Ai stad o salwch meddwl yw y cwmpo mewn cariad?'
('Y Llun Mawr')

Yn eironig, 'Alcohol/Amnesia' ydi recordiad olaf cyfnod cyntaf Datblygu, yn 1995. Dyna pryd y mae pethau'n chwalu oherwydd pwysau alcohol a chyffuriau. Mae Dave yn diflannu o lygad y cyhoedd. Sawl tro, mae'n cael ei orfodi i fynd i ward salwch meddwl. Mae'n 'seicotig', meddai'r doctoriaid.

Mae ei dad a'i fam yn cael amser caled. Dydi hi ddim yn anarferol i'r heddlu ffonio a dweud, 'Mae David 'da ni 'to'. Mae David yn cael amser caled hefyd. Yn 2006, mae ei fam yn marw. Mae yntau'n gorfod gofalu am ei dad. Mae'n ceisio rheoli'r alcohol.

Ond mae cyfnod newydd yn dechrau yn 2008. Mae Datblygu'n ailddechrau perfformio. Mae'r caneuon yn dawelach ond yr un mor ddewr. Mae wedi sgrifennu hunangofiant hefyd, *Atgofion Hen Wanc*.

Yna, mae ei dad yn marw. Mae'n gorfod gadael cartref, ac Aberteifi hefyd. Mae'n ceisio lladd ei hun o leiaf unwaith. Ond mae'n dal i sgrifennu. Mae yna dair albym arall yn dod rhwng 2015 a 2020. Maen nhw'n swnio'n ddoeth. Mae Dave yn edrych yn ôl a phwyso a mesur. Mae'n disgrifio'r problemau, heb ddifaru dim.

Yn un gân mae'n ateb honiad Elton John, nad bywyd oedd popeth. 'Bywyd ydi popeth, Elton,' meddai. Ac mae'n swnio'n ffyrnig.

'Datblygu will never die'

Mae Dave ei hun yn marw, yn un o fflatiau lles y cyngor yng Nghaerfyrddin. Ond bydd pobl yn ei gadw'n fyw.

Yn y penwythnos yn Llanbed, maen nhw'n dangos ffilm hanner awr. Roedd hi wedi ei gwneud gan griw *Fideo 9*, cefnogwyr cyfryngol Cymraeg prin. Mae'n greadigol ac effro. Mae'n dangos cystal perfformiwr ydi Dave, yn defnyddio'r camera i gael effaith. Mae'r hiwmor tywyll yn amlwg. Mae llais ei fam i'w glywed bob hyn a hyn yn gweiddi, 'David!'

Mae ffilmiau hefyd o rai o'r gigs. Y darlun sy'n aros ydi o'r dyn tal yn ei gwman tros y meic yn dyrnu'r geiriau. Mae rhywbeth yn bregethwrol amdano bron. Mae'r geiriau weithiau'n ffurfiol, yn ymylu ar y Beiblaidd. (Mae yna stori amdano'n cerdded yn swnllyd i mewn i'r Llyfrgell Genedlaethol, yn gofyn am gopi mawr o'r Beibl, yn darllen ac wedyn yn cau'r llyfr ac ebychu, 'Bloody good stuff!')

Mewn un gìg, rywdro, mae'n gorwedd ar wastad ei gefn, y meic yn un llaw a gwydraid o sieri yn y llall. Yn Llundain unwaith, mae'n gwylltio gyda'r dyn sain ac, ar ganol set, yn mynd ato a'i fygwth. Mae'n cael ei daflu mas. Does gan y band ddim canwr. Yn y gigiau gorau, mae'r gynulleidfa'n cael eu gwefreiddio.

Yn y caneuon gorau, mae'r gerddoriaeth yn gyfareddol. Yn y cyfnod cynnar, mae yna egni amrwd; yn y cyfnod aur, mae yna sŵn llawn, ecstatig, mwy aeddfed hefyd. A thrwy'r amser, mae'r geiriau yn pwnio eu neges. Yn ôl Emyr Glyn Williams, maen nhw'n 'ganeuon am emosiynau sy ar fin ffrwydro ac unigolion bregus ar waelod y domen, ar ddiwedd y ciw, yn byw ar lot fawr o ddim byd'. Maen nhw 'mor ddyfn, emosiynol a chyfoethog ag unrhyw waith celfyddydol ma unrhyw artist Cymraeg erioed wedi'i greu'.

Yng nghaneuon Datblygu y mae modd deall teimladau'r genhedlaeth o bobl ifanc a godwyd yn nyddiau Thatcher, gydag alcohol a chyffuriau yn arf i leddfu'r anobaith a'r diflastod. Heb Datblygu, fe fyddai'n anodd iawn ffeindio hynny yn y byd Cymraeg. Ac nid rebel wicend ydi Dave Datblygu: dyna ydi ei fywyd.

Ffynonellau

YCHYDIG IAWN o waith ymchwil gwreiddiol sydd yn y gyfrol yma – ambell i gip ar lawysgrifau yn y Llyfrgell Genedlaethol, dyna i gyd. Fel arall, mae'n tynnu'n drwm ar waith haneswyr ac awduron eraill ond gan geisio dehongli ychydig ar eu sylwadau nhw. Fi, felly, sy'n gyfrifol am bob bai.

Does dim troednodiadau na dim tebyg, ond dyma restr gryno o rai o'r prif ffynonellau ar gyfer pob ysgrif.

Padarn Sant – *Vita Sancti Paternus*, http://www.ancienttexts.org/library/celtic/ctexts/padarn; *A History of Llanbadarn Fawr*, E G Bowen, Gower Press, 1979; 'The Celtic Saints in Cardiganshire', E G Bowen yn *Ceredigion*, 1951.

Dafydd ap Gwilym – *Dafydd ap Gwilym*, R Geraint Gruffydd, Cyfres Llên y Llenor, Gwasg Pantycelyn, 1987; ' "Myn Pedr, ni wn pwy ydwyd", ar drywydd Dafydd ap Gwilym', Dylan Foster Evans gyda Sara Elin Roberts, dafyddapgwilym.net.

Twm Siôn Cati – am y chwedloniaeth: *The Adventures and Vagaries of Twm Shon Catti*, T J Llewelyn Pritchard, 1828, yn library.wales; am y ffeithiau: 'Twm Siôn Cati', Daniel Huws yn *Carmarthenshire Antiquary*, 2009.

Daniel Rowland – *Hanes bywyd a gweinidogaeth y Parchedig Daniel Rowlands...*, John Owen, 1839; *Y Diwygiad Mawr*, Derec Llwyd Morgan, Gwasg Gomer, 1981; *Howell*

Harris: From Conversion to Separation 1735–1750, Geraint Tudur, Gwasg Prifysgol Cymru, 2001.

Ieuan Fardd – *The Percy Letters: The Correspondence of Thomas Percy and Evan Evans*, (gol.) Aneirin Lewis, Louisiana State University Press, 1957.

Anne Evans – 'Anne Evans and Her Garden at Highmead 1778–1807', Jean Reader, *WHGT Bulletin*, Mawrth 2012; 'The Highmead Dairy', B G Charles, yn *Ceredigion*, 1964; dyddiadur yn y Llyfrgell Genedlaethol.

Dafydd Dafis, Castellhywel – *Telyn Dewi*, Ail Argraffiad, Llanbedr, 1876; *Cewri'r Ffydd*, D Elwyn Davies, Gwasg Gomer, 1999.

Henry Richard – *Henry Richard: Heddychwr a Gwladgarwr*, Gwyn Griffiths, Cyfres Dawn Dweud, Gwasg Prifysgol Cymru, 2013; 'The Election of 1868 in Merthyr Tydfil', yn *Explorations & Explanations*, Ieuan Gwynedd Jones, Gwasg Gomer, 1981.

Cranogwen – *Cofiant Cranogwen*, D G Jones, Undeb Dirwestol Merched y De, 1932; *Cranogwen: Portread Newydd*, Gerallt Jones, Gwasg Gomer, 1981; erthygl gan Jane Aaron yn *Queer Wales: The History, Culture and Politics of Queer Life in Wales*, Gwasg Prifysgol Cymru, 2016.

Annie Hughes-Griffiths – Rhagymadrodd, *Y Golau Gwan*, (gol.) Mari Ellis, Gwasg Gwynedd, 1999; *John Humphreys Davies*, T I Ellis, Gwasg y Brython, 1963; deunydd ar wefannau WCIA ac Archif Menywod Cymru; sgwrs gyda Meg Elis.

Moelona – cyflwyniad Siwan Rosser i fersiwn digidol *Teulu Bach Nantoer*, Kindle, 2013; erthygl gan Roger Jones Williams yn *Dewiniaid Difyr: Llenorion Plant Cymru hyd tua 1950*, (gol.) Mairwen a Gwynn Jones, Gwasg Gomer, 1983; papurau personol yn y Llyfrgell Genedlaethol.

Caradoc Evans – *Caradoc Evans: The Devil in Eden*, John Harris, Seren, 2018; *In the Shadow of the Pulpit*, M Wynn Thomas, Gwasg Prifysgol Cymru, 2010; *Caradoc Evans*, T L Williams, Cyfres Writers of Wales, Gwasg Prifysgol Cymru, 1970.

Idwal Jones – *Cofiant Idwal Jones*, D Gwenallt Jones, Gwasg Aberystwyth, 1958.

Cassie Davies – *Hwb i'r Galon*, Cassie Davies, Tŷ John Penry, 1974; erthyglau yn *Heddiw*, Cyf. 1, Rhif 3, 1936, Cyf. 3, Rhif 1, 1937.

Edward Prosser Rhys – *Edward Prosser Rhys*, Rhisiart Hincks, Gwasg Gomer, 1980.

Evan James Williams (Desin) – *Yr Athro Evan James Williams: Gwyddonydd o Gymro Byd-eang*, (gol.) J. Tysul Jones, Gwasg Gomer, 1970; *Gwell Dysg na Golud*, D J Goronwy Evans, Gwasg Gomer, 2003; *Evan James Williams: Ffisegydd yr Atom*, Rowland Wynne, Gwasg Prifysgol Cymru, 2017.

Eluned Phillips – *Reluctant Redhead*, Eluned Phillips, Gwasg Gomer, 2007; *Optimist Absoliwt*, Menna Elfyn, Gwasg Gomer, 2016.

Dic Jones – *Os Hoffech Wybod...*, Dic Jones, Cyfres y Cewri, Gwasg Gwynedd, 1989; *Cofio Dic: Darn o'r Haul Draw yn Rhywle*, Idris Reynolds, Gwasg Gomer, 2016.

David R Edwards – *Al, Mae'n Urdd Camp*, David R Edwards, Y Lolfa, 1992; *Hunangofiant Hen Wanc*, David R Edwards, Y Lolfa, 2009; gwybodaeth gan Emyr Glyn Williams a Pat Morgan.

Lle bo hynny'n berthnasol, mae gweithiau'r gwrthrychau eu hunain wedi bod yn allweddol hefyd, ynghyd â darnau mewn papurau newydd a chylchgronau – ganddyn nhw ac amdanyn nhw. Yn gyffredinol, mae'r Bywgraffiadur Ar-lein a'r *Cydymaith i Lenyddiaeth Cymru* wedi bod yn werthfawr gyda ffeithiau sylfaenol, a llu o weithiau gan Gerald Morgan yn amhrisiadwy o ran cefndir a hanes y sir.

Diolch

GYDAG UNRHYW GYFROL fel hon, fe fydd yna lwyth o ddiolchiadau ac mae'n siŵr y bydda i wedi anghofio rhai. Ond, fel y bydd ffermwyr ifanc Ceredigion yn ei ddweud bob tro yn eu diolchiadau nhw, 'nid ar fwriad oedd hynny'.

Dyma rai o'r caredigion sydd wedi helpu gydag ambell awgrym, cyfeiriad neu gyngor... Dafydd Johnston, E Wyn James, Gruffudd Antur, Meg Elis, Siwan Rosser, Dinah Jones, M Wynn Thomas, Wynne Melville Jones, Sian Rhiannon Williams, Geraint Vaughan, Menna Elfyn, Idris Reynolds, Pat Morgan, Emyr Glyn Williams.

Diolch i Elaine am gefnogi a chynnig awgrymiadau gwerthfawr a diolch, wrth gwrs, i'r Lolfa, Meleri Wyn James yn benodol, a Huw Meirion Edwards a Sion Ilar o'r Cyngor Llyfrau. Ac, fel y mae yn achos pawb bron sy'n sgrifennu cyfrol ffeithiol Gymraeg, diolch i bobl y Llyfrgell Genedlaethol am y lle a phob help.

O, ia, diolch hefyd i bwy bynnag a gafodd y syniad am gyfrol fel hon ac i chithau am ddarllen y diolchiadau, o leia'.

Hefyd o'r Lolfa:

£7.99

ar drywydd Twm Carnabwth
HANES DECHRAU GWRTHRYFEL BECCA
Hefin Wyn
y olfa

£9.99

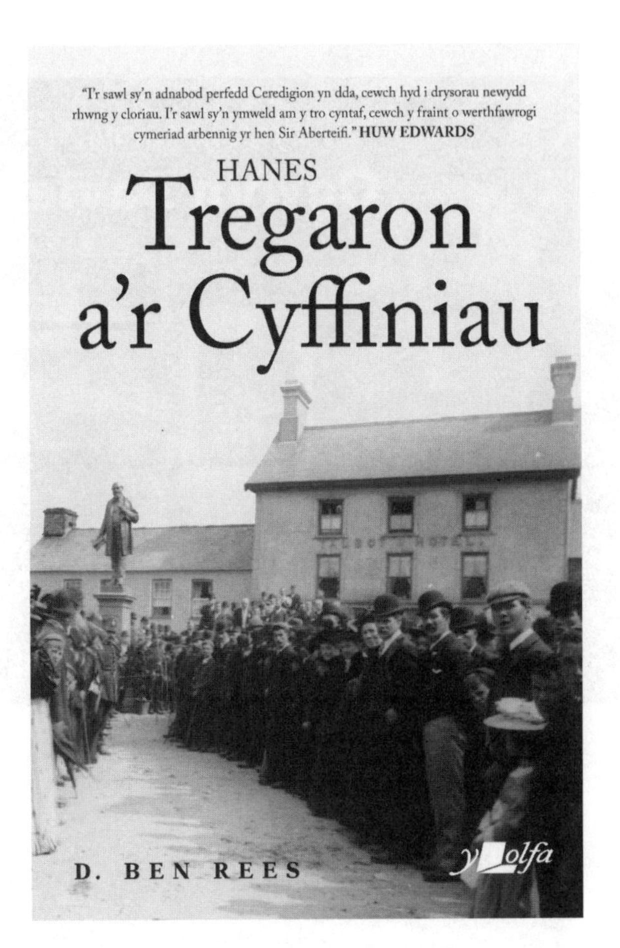
"I'r sawl sy'n adnabod perfedd Ceredigion yn dda, cewch hyd i drysorau newydd rhwng y cloriau. I'r sawl sy'n ymweld am y tro cyntaf, cewch y fraint o werthfawrogi cymeriad arbennig yr hen Sir Aberteifi." HUW EDWARDS
HANES
Tregaron a'r Cyffiniau
D. BEN REES
y Lolfa

£14.99

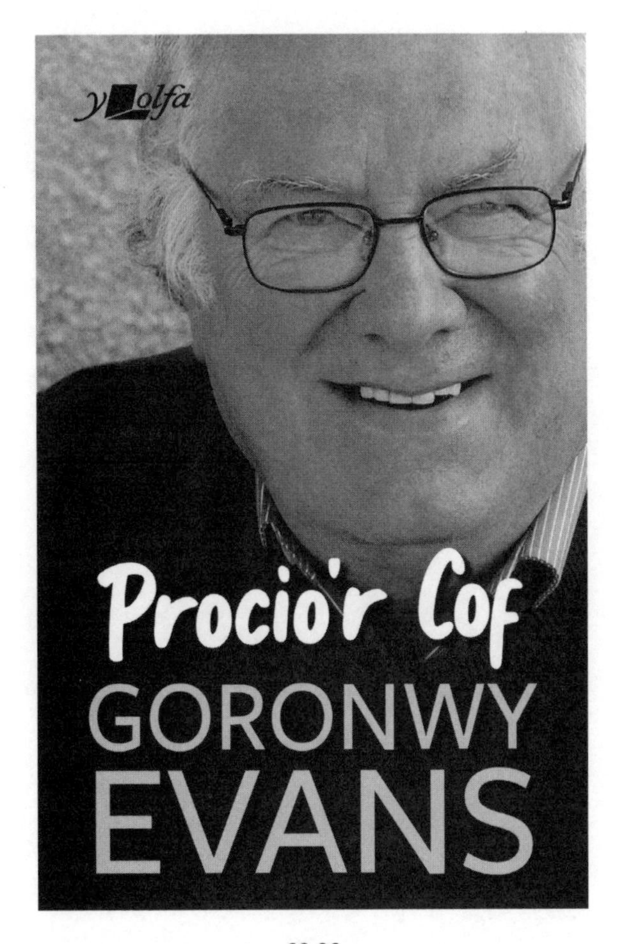

£9.99

£9.99

£9.99

ANNWYL VAL
Gohebiaeth rhwng Lewis Valentine,
D. J. Williams a Saunders Lewis
1925–1983
Golygwyd gan
EMYR HYWEL
y lolfa

£14.99

Holwch am bris argraffu!
www.ylolfa.com